BRAVO

RÉGIS JAUFFRET

BRAVO

roman

ÉDITIONS DU SEUIL
25, bd Romain-Rolland, Paris XIVᵉ

ISBN 978-2-02-121285-3

www.seuil.com

Bravo. Qu'on applaudisse et crie bravo. C'est une performance d'avoir si longtemps vécu. Qu'il soit acclamé le convoi des vieillards. Ils ont été vaincus, mais ils ont résisté, souffert, lutté pour ne pas succomber à la tentation de déposer les armes, de se faire hara-kiri comme un lâche samouraï qui refusant d'endurer plus longtemps le quotidien, un jour s'éventre.

Hommage aux êtres qui ont dépassé le cap de la soixantaine et habitent désormais ce continent gris peuplé d'humains d'hier que dans ma jeunesse on appelait les petits vieux.

Je rejoindrai au printemps leurs terres crépusculaires. Avec l'enthousiasme des désespérés, je continuerai à écrire tant qu'il me restera des mots. J'en ai des silos remplis jusqu'à la gueule et je ne me rendrai pas avant de les avoir dégoupillés jusqu'au dernier.

Quand ce siècle sera devenu sexagénaire à son tour, plus âgé que lui de quelques décennies, ayant largement payé mon tribut à l'existence, je me tuerai.

Paris, 2015.

L'infini bocage

Il pleut souvent dans le jardin. La brouette décomposée près de la grille se remplit d'eau grise, le soleil revenu se reflète dedans. Je vois le village à travers les barreaux vert amande. Il me semble proche, je distingue jusqu'aux enfants qui manipulent solitaires des jeux de construction sur les tapis rouge et bleu des salons.

Quand mon humeur est basse, les maisons s'éloignent, les enfants disparaissent avec les tapis et les colonnes de briques de plastique encastrées. Comme des rayures grises de plus en plus pâles sur le paysage d'arbres noirs, les rues aussi finissent par se dissiper.

Souvent la maison est montée sur roulements à billes, elle cherche le soleil, la lune, elle poursuit un oiseau, s'obstine à fixer le lointain pour arracher à l'horizon des images de la Manche dont au-delà de l'infini bocage les vagues déferlent sur une plage du Cotentin.

Je n'ai jamais apprécié l'immobilité, ce lac, ce fond de puits. J'ai conservé un peu du tempérament du spermatozoïde que je fus il y a un peu plus de quatre-vingt-sept ans, agité, fébrile, le flagelle toujours en branle. Elle ne bronche pas la mort, même si les cendres des cadavres s'envolent avec le vent.

Mes parents ne bougeaient pas. Ma mère était née à

9

trois rues de l'immeuble où mon père avait vu le jour dans l'obscurité d'une fin d'après-midi du 17 décembre 1902 entre les cuisses de sa génitrice accouchée par une tante, sage-femme d'occasion qui apparaissait comme par magie à un mois des couches et disparaissait le surlendemain de la naissance tels ces fantômes qui vous annoncent la guerre et se volatilisent au premier coup de canon.

Mon enfance s'est déroulée dans cet appartement ovale. Des pièces aux baies vitrées courbes comme des pupilles. De l'autre côté, rien d'autre à voir qu'un morceau de ville de province monochrome comme les clichés que les géographes prenaient couramment de la planète à cette époque.

Je me rappelle les épaules du concierge qui dès le mois de mai se mettait torse nu pour nettoyer le lustre hollandais du hall d'entrée de l'immeuble, les maigres seins de ma mère entrevus dans le reflet de la bakélite étincelante du poste de TSF, les narines de mon père profondes comme des tunnels à l'orée perdue dans la campagne défendues par des poils touffus comme des bouquets de bruyère.

Ils ont eu un autre enfant quand j'avais quinze ans. Un garçon mort ivre dans la voiture qu'ils lui avaient offerte pour sa majorité et qu'il avait précipitée pour des raisons inconnues sur une prostituée dont le corps écrasé a produit le même effet qu'une flaque d'huile, le véhicule alors de traverser la place en crabe et de s'écraser contre la vitrine blindée d'une bijouterie. Parti du foyer familial une année après sa naissance, j'avais à peine croisé ce gamin éphémère. Je l'ai pleuré de même.

Ma ville natale, cité médiocre. Partir, quitter, s'enfuir. Le défilé des lieux, des murs, des escaliers, des portes palières aux éraflures comme des cicatrices. Les enjambées d'une ville l'autre, les sauts par-dessus les fleuves, les zones commerciales, industrielles, pavillonnaires, les billets d'avion achetés sur un coup de sang, d'absurdes vols planés et on tombe comme un canard aux ailes truffées de plomb sur le trottoir de l'aéroport d'une métropole rébarbative.

On rêve beaucoup sa vie en prenant de l'âge. On la magnifie par vanité, on la calomnie à force de neurasthénie. Je me souviens de Genève, de Turin, de Detroit et puis à partir de l'âge de trente-cinq ans ce fut Paris où j'ai bourlingué pendant près de quarante années. Les appartements comme des bivouacs où on pose ses cartons et ses meubles en cherchant déjà une nouvelle adresse sur un plan de métro.

Je regrette d'avoir cédé sur le tard à la tentation de la chlorophylle. L'air pur brûle les bronches, la verdure porte malheur, on se dit en apercevant une marguerite qu'on servira bientôt de terreau aux fleurs et malgré un ruineux chauffage central, d'affreux chandails, des feux de cheminée aux bûches qui pètent comme des malotrus, dans les maisons règne chaque hiver un froid humide de tombeau.

J'écris avec un stylet planté dans la bouche. Je dicte lorsque la voix me revient. De temps en temps, on me fait une infiltration qui me rend mes mains l'espace d'une paire de jours.

Quand ma voix ne répond plus, quand j'ai mal aux dents à force de serrer cette prothèse pour composer lettre à lettre des mots trop lents à apparaître, je déclenche une sonnette avec ma nuque.

Il arrive, je fais semblant de mourir. Nous sommes

11

tous les deux si vieux, la mort est devenue notre égérie. Une égérie désincarnée, une âme d'égérie dont on peut se coiffer comme d'une auréole d'angelot. On peut aussi la chanter, la danser et mon homme en fait parfois une sorte de polka, de menuet, de fox-trot, de ronde bancale autour du lit planté en plein milieu de la chambre pour permettre à la femme de ménage de traquer plus aisément la poussière dont le moindre atome pourrait se planter comme une fléchette dans mon dernier poumon tuméfié.

Il n'a jamais eu un corps commode, agile, gracieux. Il a toujours ridiculisé la danse en se trémoussant. On dirait qu'il se moque de la marche quand il circule, de la sexualité quand il s'accouple, tant ses coups de reins sont arythmiques.

Je ne sais pas pourquoi je l'aime, ce laid, ce chauve, ce ventru, ce cerveau léger. Pourquoi je l'ai traîné avec moi la moitié de ma vie arrimé à mon sexe raide de lui depuis notre rencontre dans une boutique de vin du 17e arrondissement où nous rapportions chacun de son côté un magnum de bordeaux à moitié bu auquel nos convives avaient trouvé un goût de bouchon.

Une colère commune, la joie de s'indigner, de haïr ce caviste de mauvaise foi qui ne cessait de goûter nos flacons pour mieux nous claquer la langue à la gueule en vantant les arômes que développent les miettes d'un bouchon noblement pourri.

– Un grand cru se doit d'offrir au palais un souvenir de la fragrance du liège.

Une bousculade. L'homme tombé à la renverse sur un étalage d'amuse-gueules, une cliente prompte à avertir la police, une nuit au commissariat dans la même cellule en compagnie d'un junkie décharné dont ne restaient plus que l'os et les veines, qui nous regardait baiser, rire, baiser et baiser encore.

Un nid d'amour cadenassé, avec les pas des mecs en uniforme qui se succédaient pour monter la garde dans le couloir. Ils faisaient semblant de ne pas regarder par le judas, de ne pas entendre, de ne rien sentir de l'odeur des fauves amoureux qui s'échappait par tous les pores de la porte de bois. La gêne, la peur du coït des hommes, de ce duo de mâles en train de carotter une folle nuit à la police française.

On a ouvert notre cellule à sept heures. Le junkie dormait roulé en boule sur le sol comme un chat galeux. On était entassés sur le banc, les membres en désordre, emmêlés, l'un à l'autre crochetés. Un réveil en sursaut, le cliquetis des menottes qu'on nous clippe aux poignets, une remontée vers l'aube dont les rayons jaunes fouillaient le rembourrage de mousse des fauteuils et des chaises tapissés de skaï éclaté.

Un inspecteur a demandé qu'on nous enlève les menottes. Il nous a fait asseoir en face de lui. Il nous toisait, un regard dégoûté, répugnant. Des yeux qui n'auraient pas demandé mieux que d'être des bouches pour nous écœurer de leur haleine putride.

– Les rapports sexuels entre gardés à vue sont interdits dans l'enceinte du commissariat.

– Nous n'en savions rien.

– Le caviste maintient sa plainte, vous serez convoqués au tribunal dans les prochains mois.

Pour des raisons par lui seul connues, il a fini par la retirer trois semaines plus tard.

Il nous a conduits jusqu'à une encoignure où il a

13

demandé à un planton de nous rendre nos portefeuilles, nos montres et nos lacets.

– Cette histoire n'aurait jamais dû arriver.

Des paroles désespérées prononcées d'une voix funèbre par le malheureux en nous mettant dehors avec peut-être la peur au ventre que notre écart n'arrive aux oreilles des autorités qui décideraient de fermer ce lieu de débauche comme un hôtel borgne. Son imbécile et profonde tristesse de savoir son sordide lieu de travail à jamais souillé par nos muqueuses.

On avait faim. Deux ou trois omelettes à la terrasse d'un café avec des bières pour nous rafraîchir des chaleurs de la nuit. Nous n'avions guère parlé depuis notre rencontre, mais en arrivant au commissariat nous nous étions entendus décliner nos pedigrees au flic qui avait rempli notre fiche et nous en savions assez l'un sur l'autre pour pouvoir aller le réveiller dès potron-minet à son domicile, lui souhaiter son anniversaire ou lui rapporter un souvenir de sa ville natale.

Nous étions nés la même année à quatre mois d'intervalle. Deux bestiaux en pleine quarantaine depuis longtemps plus assez frais pour faire des ravages. Nous aurions pu simplement décider d'unir nos misères afin de tromper la solitude sexuelle qui pointait son nez. Nous étions trop fiers, nous avons préféré tomber fous amoureux l'un de l'autre.

À quatre-vingt-sept ans, nous pouvons toujours prétendre nous aimer encore. Une vieille histoire d'amour de vieux, quelque chose d'attendrissant, de chaud, que la mort enverra se faire foutre avec sa tendresse de chasse d'eau.

L'autre jour, on s'est mariés. Une occasion d'organiser une bamboula. Nous avons toujours essayé de faire en sorte que la gaieté se sente chez elle à la maison. Une fête autour de mon lit, sans musique, sans farandole. Même la mousse du champagne était en berne. Malgré tout, même macabre une noce sera toujours plus joyeuse qu'un enterrement.

Le maire était un homme étroit et plat comme une tagliatelle. Un trait d'encre de seiche sur le sommet du crâne, peut-être un reste de chevelure cirée. Des petites lunettes cerclées de fil d'acier dont les foyers grossissaient comme des loupes deux paires de cils blancs.

Il avait un physique vieillot, mais il aurait pu être notre petit-fils. Une assemblée de chenus, de blanchis, de bons pour la casse, avec en guise de taches de jeunesse mes trois enfants sexagénaires que la cérémonie n'amusait pas. Ils ne pouvaient pourtant craindre de voir mon patrimoine échoir à mon époux, à force de donations je m'étais dépouillé en leur faveur depuis longtemps. Mais ils devaient trouver sordide la noce de leur père mourant.

Je les avais eus dans ma jeunesse. Une cliente rencontrée en 1954 à la banque d'affaires où je faisais mes premières armes de financier comme conseiller patrimonial. Un coup de foudre, car elle ressemblait à Greta Garbo dont j'étais entiché depuis l'âge de raison. Trois ans de mariage, trois enfants. Elle a obtenu le divorce à mes torts exclusifs en faisant constater par un huissier mon adultère avec un jeune funambule dans ma garçonnière de la rue Garancière découverte par le détective privé qu'elle avait lancé à mes trousses.

15

Le juge était rouge de fureur le jour où il a rendu son verdict.

– Une relation contre nature.

La garde des garçons a échu à la femelle de notre couple.

– Droit de visite mensuel.

Deux heures en sa présence, afin qu'elle puisse m'empêcher de fondre sur eux pour les violer. D'après le psychiatre qui m'avait examiné, un inverti se réjouissait toujours d'avoir engendré des mâles afin de pouvoir les abuser quand il les jugeait assez matures pour incarner ses fantasmes.

– Mais certains s'en prennent aux bébés.

Je me suis vite lassé de ces entrevues sous le regard haineux de mon ex armée d'une bouteille d'alcool pour désinfecter leurs joues après chacun des baisers dont je les avais souillés.

J'ai espacé mes visites. Je les ai perdus de vue. Ils étaient trop petits pour garder souvenir de moi. Je n'étais plus lié à eux que par la pension alimentaire. Un lien roboratif dont elle s'abstenait de leur parler et eux d'imaginer sans doute que leur père n'existait pas.

J'ai attendu qu'ils soient majeurs pour renouer. Un simple courrier au domicile de leur mère où ils demeuraient encore. Peut-être curieux de jeter un coup d'œil sur leur géniteur, ils se sont rendus au café de la place Clichy où je leur avais donné rendez-vous. L'aîné avait trois ans et demi le jour où je les avais vus pour la dernière fois. Ils sont passés devant moi sans me reconnaître.

Ils ressemblaient encore aux photos que leur mère m'avait envoyées quelques années plus tôt pour m'ama-

16

douer en me demandant de lui accorder une rallonge exceptionnelle afin de partir avec eux visiter l'Italie.

Je les ai alpagués. Ils se sont assis. Je leur ai dit qu'ils n'imaginaient pas à quel point je les aimais.

– Je suis sincère.

Je mentais. Ils ne doutaient pas de mon amour, ils s'en foutaient.

– Nous pourrions décider de nous voir chaque semaine ?

Ils ont souri pour dire non.

– Chaque mois ?

Je ne sentais pas le moindre enthousiasme dans leur regard.

– De temps en temps ?

Ils ont opiné mollement.

– Parlez-moi de vous.

Leurs mains agacées errant sur la table, leurs bouches aux lèvres serrées.

– Vous allez tous devenir ingénieurs ? Médecins ? Juristes ? L'important, c'est de devenir, d'être, de vivre. C'est étonnant de voir à quel point les gens existent peu. Il faut investir la vie comme une forteresse, peu importent l'huile bouillante, les traits d'arbalète. On grimpe, on s'élance, on se rend maître des lieux.

Je me demandais ce que je voulais dire exactement. Comme je sentais qu'ils ne m'écoutaient pas, je continuais à parler sans me préoccuper davantage de la substance de mon discours.

– Vivez en chevaliers.

Ils faisaient exprès de jeter de la petite monnaie sur le carreau pour passer leur temps à la chercher à quatre pattes sous les chaises et les pas des clients. Un jeu méprisant destiné à me montrer à quel point ils me considéraient comme un père ennuyeux. Ils lançaient leurs pièces de plus en plus loin, jusque dans la rue, sur la voie, le terre-plein central. Ils ont fini par disparaître avec leur mitraille.

Par la suite, nous nous sommes rencontrés tous les cinq ou dix ans. Je crois qu'ils n'étaient pas mécontents de pouvoir régulièrement constater l'existence de leur père, comme certains aiment à se faire scanner pour vérifier qu'aucun organe ne leur manque.

Depuis une vingtaine d'années je représentais surtout pour eux un complément de revenus. J'avais entrepris de me dépouiller lentement à leur profit. Un strip-tease. Les valeurs mobilières, les timbres de collection, les logements de rapport, comme autant de pièces de lingerie que je leur jetais chaque année l'une après l'autre à la gueule pour me débarrasser du sentiment de culpabilité d'éprouver envers eux moins d'amour que pour le chocolat et le monbazillac.

Peu d'affection circule entre nous. Ils ont un besoin de père aussi maigre que moi d'enfants. Je n'aurais pas davantage pleuré l'absence de leur venue au monde qu'ils ne pleureront ma mort.

Je leur avais annoncé mon décès prochain au dos des chèques que je leur avais adressés pour Noël. En réalité, ils avaient dû venir à mon mariage pour s'assurer que j'étais sur la bonne voie.

Dans la nuit, souvent le sommeil s'arrête. L'insomnie, mon affreuse amie. Des siècles à me retourner dans mon lit, toute une vie à ne pas dormir. Aujourd'hui je suis même hors d'état de me trémousser sous le drap.

Je peux lever et baisser les paupières. Je vois la lueur rouge, la verte, celle qui clignote du blanc au bleu. Parfois j'aperçois deux taches blanches au plafond. Peut-être que mes yeux projettent là-haut la lumière dont ils se gavent le jour. Ni peur ni inquiétude ni désir de mourir. Une conscience plate, une étendue, marécage asséché, sol de lune.

L'avenir sinistre comme un mauvais souvenir. Le passé, une compression presque opaque. On distingue à peine au travers des visages flous, des événements effilochés errant comme des nuages. Le reste de la nuit devant moi, des heures sèches au cours desquelles rien n'adviendra. Le petit matin à la rescousse en route vers le zénith, le crépuscule, les après-demain où je serai tricard.

Le rêve, un moyen de locomotion rapide, fulgurant, on pourrait même aller au-delà de la galaxie si on éprouvait le moindre désir des délices qui nous attendent là-bas. Pourtant quelle misère d'en être réduit aux joies de l'esprit. Mieux vaut encore être un chien en bonne santé qui court, saute, avale hargneusement sa pâtée.

Le passé ne s'arrête jamais de pleuvoir. Une pluie fine, une averse, une tempête. Certains souvenirs sont tombés dans la mare. À travers la vase je vois parfois remonter un matin d'enfance où je m'ennuie en classe depuis quatre-vingts ans, un dimanche de 1932 où je suis encore en train de shooter dans le même ballon et puis comme une multitude de bocaux bouchés à l'émeri où j'accomplis indéfiniment les gestes de l'amour avec une petite femme, un monsieur en costume gris, quantité d'êtres dont je ne distingue plus que le sein plat, le pénis, le trou de la bouche, l'œil sombre entre les fesses hérissées comme des joues mal rasées, ou rouge, à vif, émouvant de sembler meurtri.

Le charnier de la mémoire. Toutes ces années qui n'existent plus et vous élancent comme une jambe coupée.

Je voudrais d'une nuit bruyante, populeuse, agitée. Je n'aime pas ces gens allongés à tous les étages des maisons du village serrées l'une contre l'autre comme des lits superposés. Je refuse la solitude, le soir, l'obscurité. Je veux sans cesse le jour. Éteignez la lune, laissez flamber toute la nuit le soleil.

Mes oreilles ne sont plus assez performantes pour entendre la rumeur sourde de l'autoroute lointaine. J'attire le bruit en embrassant la pénombre, en applaudissant, en le sifflant comme un larbin. Le bruit chasse le silence.

La peau, drap de cellules jeté sur les chairs écorchées. Le visage, un mouchard pire qu'un nom ou une empreinte qui à chaque apparition nous dénonce. Je préfère le corps anonyme. Les bras modestes, les humbles jambes, les doigts, ces brindilles.

La douleur est une cage transparente comme l'air de la chambre. Les malades sont des bagnards. Ils rêvent d'évasion, de paysages, de panoramas, d'autres plaies, d'autres bosses.

Les pas sont un moyen de transport. On s'assoit sur le bord du lit, on regarde le vide, on frôle le sol du bout des orteils, on se perche sur nos jambes, ces béquilles instables, ces échasses.

On s'en va. On trouve l'invraisemblable énergie d'attendre d'avoir atteint le couloir pour s'effondrer. Mais un jour la chambre est devenue trop vaste pour se laisser traverser. Avant même d'avoir pu se mettre debout, on s'écroule au pied du lit. La loque sur le carreau, un gisant.

On finit par mettre la main sur vous. On vous remonte, on vous repose, on vous ensevelit sous les couvertures. On vous engueule comme un môme.

Il me prend la main, passe son autre bras autour de mes épaules. Un vieillard rassurant, solide, trop lourd pour que la mort l'envole. Il ne vous laissera pas arrêter par la milice, il vous cachera dans le ciel. Les soldats pourront toujours carillonner, il escamotera la cheminée, vous précipitera dans un escalier dérobé, puis de vous porter le long d'un corridor épouvantable, de vous descendre par un puits jusqu'à la crique où vous attend une barque à voile, un submersible, une fusée, l'étoile filante scellée qui à califourchon vous évadera.

– Porte-moi.

Un chuchotement. Il a entendu. Il me soulève. Il me maintient au-dessus du lit. Il me repose avec délicatesse comme si j'étais une œuvre d'art.

– Tu es toujours fort.

Un murmure. Je suis devenu un haltère aérien. Si peu de chair sous la peau brunie par la sénescence et les os creux comme des instruments à vent.

– Vas-y.

Il a dû lire le mouvement de mes lèvres. À moins qu'il n'ait vu passer ma pensée comme un scarabée sorti de ma bouche entrouverte. Il sourit, son regard essaie de me convaincre que ce ne sera pas une corvée atroce à fondre en larmes. Il défait mes langes, sa main un instant posée comme une feuille de vigne. Puis dans sa bouche mon sexe, petite momie à jamais ratatinée. Je ne ressens

21

rien d'autre qu'un picotement sur l'urètre irrité par la sonde dont on me transperce matin et soir pour vider ma vessie. Je n'ai pas la force de soupirer pour feindre d'avoir presque joui.

Depuis hier, il dort à côté de moi. Un lit étroit de pensionnaire aux pieds surélevés pour que je puisse le voir en tournant la tête. Je voudrais le contempler pendant qu'il dort, mais mon regard le réveille comme une caresse chaque fois qu'il se pose sur lui.

Je suis en panique à l'aube. Un faible cri qu'il entend même les matins où la peur m'étrangle trop pour le laisser passer. Il serre mon bras, sa tête pèse sur ma poitrine. Il me recouvre comme une cuirasse. Les agonisants meurent au petit matin. Il m'interdit de mourir, il empêche mon âme de s'évaporer.

Je veux être assez petit garçon pour croire en lui. Je ne veux pas partir. Le froid, la glace, le squelette. Pourrir dans une caisse, brûler dans un four, en enfer.

Je vais disparaître avant d'avoir compris pourquoi quelque chose existe. Un univers, cette drôle d'idée. De la lumière, des pierres, du temps. Des gens qui courent après la métaphysique depuis l'invention de l'angoisse.

On doit pouvoir trouver des boîtes pleines d'heures, des containers remplis de minutes, des supertankers chargés de secondes à éclater. Si je pouvais acheter un homme pour mourir à ma place, me réincarner en bébé, faire numériser les données de mon cerveau pour continuer à exister à l'état de carte mémoire dans le téléphone de l'homme de ma vie qu'il emportera dans son cercueil où je persisterai tant que la batterie ne sera pas épuisée.

Rien du tout. Il n'est plus temps pour moi d'inventer

l'éternité. Vous croyez que l'avenir rêve de nous ? Que les générations futures se souviennent de nos pauvres gueules ? Nous sommes des personnages crayonnés, la mort nous gomme. Esquisses affectueuses, craintives, tueuses, méchantes, déguisées, toutes nues l'une avec l'autre enchevêtrées, passant leur temps de vie à s'imaginer, laissant derrière elles des bibliothèques aux livres balafrés de langage, des sémaphores, signaux de fumée de siècle à siècle, avertissements, plaintes, questions idiotes auxquelles personne jamais ne répond.

C'est peut-être sordide de préférer la souffrance, l'inquiétude, la terreur, à la béatitude que procure la morphine. Je ne veux pas du flou de l'euphorie. Vivre nettement ses derniers jours. Regarder en plissant les yeux le soleil, s'émerveiller de la lumière blanche qui borde les nappes de brouillard, être ému par un chat aux pattes de moineau en train de sautiller dans un coin du paysage autour d'un minuscule steward café-au-lait tombé des nues.

La vie dehors trop lumineuse éblouit. Qu'on ferme les volets. M'enamoureront la lumière des ampoules, l'odeur de cire venue de la salle à manger, me fascinera le vol de l'abeille en rupture de ruche qui bourdonnera toute la nuit dans la pénombre des veilleuses. Qu'elle me butine, je lui tends mon visage. La joie de se dire qu'on est encore assez frais pour finir dans un pot de miel.

Être dévoré vivant. Rassasier, les loups, les hyènes, le lion du cirque dont j'entends les clowns piailler dans le jardin. Devenir un peu de sa crinière, un fragment de griffe, un neurone sans grade. À force d'intrigues, de meurtres, de coups d'État, coloniser sa cervelle d'animal et devenu le fauve tout entier, s'enfuir, suivre les rails de chemin de fer jusqu'au port de mer où mouille le cargo qui emmènera ce passager clandestin jusqu'en Afrique reprendre la vie sauvage que menaient ses ancêtres.

Si je pouvais me débarrasser de mon corps avant qu'il ne m'entraîne. Je ne me sens plus solidaire de cette ruine depuis longtemps. Une maison trop mal en point pour qu'on la rafistole. Il faut faire son bagage, partir, investir quelque part une nouvelle coquille.

Drôle d'escargot dans sa robe molle, mince, diaphane. Mon ventre transparent comme un aquarium grouillant d'organes.

Il serait plus commode de s'adapter aux circonstances. Décider que la vie est trop longue, lassante la tragédie du bonheur, salutaire la maladie qui bascule la vieillesse dans le caveau. Mais je voudrais au moins avoir le choix. Cette obligation de finir un jour par mourir est la preuve cruelle qu'aucun homme ne sera jamais libre.

Je lui demande de m'emporter loin de l'agonie. Je le supplie. Il me met sur son dos. Il ne me refusera jamais rien.

– Tu peux me lâcher.

Mais je n'ai plus la force de m'accrocher à son cou. Il demande à l'infirmière affolée de me recouvrir d'un édredon.

– On est une grosse bête.

Lourde, vacillante, chaotique dans l'escalier.

– On fera le tour du monde.

Je serai un touriste émerveillé.

– On distancera la mort.

Le jardin clair sous le ciel gris qui l'éclaire comme un

néon. Ses mocassins noirs, sabots troublant l'eau des flaques de cette province pluvieuse.

– Galope.

Mais il craint la chute. À son âge, la moindre chiquenaude brise les pattes, le plus tendre choc fend le crâne, on décède pour un rien. Mieux vaut ménager la carcasse, ralentir, ralentir encore.

– Au pas, mon amour.

Elle non plus n'ose pas courir. Une vieille guenon qui traîne son antique faux rouillée. L'éternité l'épuise, elle n'en veut plus des siècles, des millénaires, de la perpétuelle hécatombe. Elle s'assoit près de la grille le cul dans la brouette. Elle n'en peut plus de mourir tout le monde. Elle nous laisse prendre un peu d'avance. Elle a des cadavres plein l'univers, peu lui importe qu'un couple échappe à sa malédiction.

Une bonne espérance de vie

Vieux. Vieux. Vieux. J'en avais assez de me faire traiter de vieux. Je me couchais chaque soir visqueux de toutes ses insultes. Quand nous faisions l'amour, elle m'appelait vieux salaud. Elle prétendait que c'était un mot tendre, une gâterie, une chatterie, une gaminerie de fiancée attendrie. Elle parlait de mon sexe antique, de l'affection qu'elle lui portait et je vous fais grâce de la vulgarité de son vocabulaire.

– Ta vieille bite chérie.

Elle se dressait pourtant comme la première venue.

– Je ne vois pas en quoi elle a l'air d'une dame âgée.

– Avec ton petit bidon.

Un soupçon de ventre. Je me levais chaque jour à six heures et demie pour pouvoir aller nager une heure entière à la piscine du quartier. Je passais le samedi après-midi à la salle de musculation. Je ne vous parle pas des séries de pompes au bureau dès que j'avais cinq minutes de répit entre deux rendez-vous.

– À ton âge, même musclé le corps est mou.

– Touche, ils sont durs mes biceps.

– Quand tu ne les contractes pas, ils sont flasques comme de la gelée. D'ailleurs, dans l'ensemble, tu es grassouillet.

J'étais au régime. J'avais perdu huit kilos en quelques mois. Mes fesses avaient fondu jusqu'à devenir inexistantes. Ne me manquait qu'une queue et mon arrière-train aurait ressemblé à celui d'un chien. J'avais auparavant de bonnes joues, un double menton, mais la fonte des graisses les avait emportés.

– Maintenant, tu ferais bien de te remplumer. En dégonflant, ta figure a gagné des rides et tu as un cou de dindon.

– Je me ferai opérer.

– Si le chirurgien rate ton lifting, tu auras l'air d'une vieille tante.

– Qu'est-ce qu'il faut que je fasse ?

– Demande à papa comment il s'y prend pour rester aussi jeune.

Il était professeur de gymnastique. Il avait huit ans de moins que moi.

– J'en ai assez que tu me le donnes toujours en exemple.

– Il est le plus bel homme que je connaisse.

Un jour d'ivresse alors que nous revenions à l'aube d'un anniversaire à Versailles, elle m'avait avoué qu'il lui avait toujours plu. Elle enviait une camarade de classe victime à treize ans d'un inceste.

– Tu es vicieuse.

– Autrement, je ne coucherais pas avec une vieillerie comme toi.

Elle avait vomi dans un vieux sac Monoprix trouvé dans la boîte à gants. J'avais oublié mes lunettes à la maison. Les phares des camions étaient nébuleux. Je peinais à garder les yeux ouverts. Ils me piquaient et larmoyaient.

– Ne pleure pas, vieux bambin.

J'avais envie de la gifler. Je me suis arrêté à la première pompe à essence. J'ai jeté dans la corbeille la gifle que je lui réservais. Elle a disparu aux toilettes pendant que je mettais une pièce dans la machine pour obtenir un expresso.

Elle est revenue livide.

– Je n'ai plus de tampons.

Elle m'a reproché mon égoïsme.

– Si tu pensais à moi, tu en aurais toujours un dans la poche de ta veste. Au cas où.

Elle a été acariâtre jusqu'à la maison. Je l'ai suivie au lit. Je lui ai caressé le front.

– Tu as la main froide.

Je l'ai frottée contre le drap pour la réchauffer.

– Froide comme la mort.

Elle s'est endormie.

J'ai attendu le petit déjeuner pour lui dire ma façon de penser.

– Je suis mûr, mais il me reste encore une bonne espérance de vie.

Elle a ri pour la première fois depuis plusieurs semaines. Un rire est plus agréable à entendre que des éclats de voix.

– Tu as raison, ce que je viens de dire est un peu ridicule. Je me demande bien quel sordide démographe a pu inventer l'espérance de vie. En tout cas, d'après les statistiques, je peux très bien continuer à vivre jusqu'en 2040.

Elle ricanait.

– Je sens que je vivrai vieux.

– À ton âge, tu n'as aucune chance de te tromper.

J'ai fait un esclandre.

– Je n'ai que cinquante-cinq ans.

– Ma mère est morte à vingt-huit ans.

Une crise cardiaque, sûrement une overdose.

– Je suis très en forme.

– Elle pétait le feu et elle pissait des étoiles.

– Je mène une vie saine.

– Elle jouait au tennis.

– Je n'ai aucune pathologie.

– Elle était en parfaite santé. Tous ses organes ont été transplantés, ils fonctionnent sûrement encore aujourd'hui dans le corps de gens qui la bénissent. On a même réussi à faire redémarrer son cœur à force de volts et d'ampères.

– S'il marchait si bien, pourquoi elle ne l'a pas gardé pour elle ?

– Tu ne respectes rien.

Elle est partie à la salle de bains en claquant la porte. Il était beaucoup trop tard pour aller à la piscine. J'ai filé au bureau. Je me sentais tellement coupable de n'avoir pas nagé que j'ai sauté le repas de midi pour apaiser ma conscience.

Nous nous étions rencontrés à Nantes. J'avais passé le week-end avec mes gosses à tergiverser dans la ville pour essayer de les distraire. Un jugement m'avait accordé le privilège de pouvoir les héberger un week-end sur deux dans mon appartement parisien, mais cette fois leur mère avait décidé que la météo était trop mauvaise pour que je risque leur vie sur l'autoroute.

– Tu en profiteras sur place.

– Ce n'est pas très pratique, sans compter le coût de la chambre.

– Tu préférerais risquer un aquaplaning et les condamner à la tétraplégie ?

– Je te jure bien que non.

Je les lui avais ramenés quelques heures plus tôt. Elle m'avait reproché de lui avoir réglé par chèque la pension alimentaire.

– Tu sais bien que je préfère le liquide.

– Tu veux frauder le fisc ?

– J'ai ma fierté. Jamais je ne déclarerai une somme aussi famélique.

Je suis rentré à l'hôtel trop en colère pour avaler les trois cent quatre-vingts kilomètres qui me séparaient de Paris. Je me suis dit qu'une cuite me calmerait.

Un bar désert lambrissé de planches de pin. Je me suis assis au comptoir. Le type de la réception a fini par se déplacer.

– Un whisky sans glace.

Il était emprunté. Il a rempli de Ballantine la moitié d'une chope. Je l'ai bu à grandes gorgées comme de la bière.

Elle est arrivée, blonde, petite, maigre, seins plats, grands yeux noirs, bouche pâle, blue-jean, parka rembourrée en nylon noir, pas souriante, rembrunie. J'étais tellement soûl que je l'ai interpellée.

– Vous voulez que je vous paie un verre ?

– Lâchez-moi, espèce de vieux con.

– Je veux juste baiser avec vous.

Je crois que mon aplomb l'a impressionnée. Quand je me suis réveillé amnésique le lendemain matin, elle dormait à côté de moi.

Je l'ai secouée.
- Qui vous êtes ?
Elle s'est réveillée. Elle m'a jeté un regard dédaigneux.
- Vous ne m'avez même pas baisée.
- Je suis désolé.
- Alors, baisez-moi.
Elle a attrapé mon sexe. Elle l'a secoué comme une breloque.
- Vous bandez, oui ?
- Oui.
- Dépêchez-vous, je dois prendre le train pour Paris à onze heures six.
- Vous pouvez remonter avec moi en voiture.
- Bandez vite, on perd du temps.
J'ai bandé.

Elle était en cinquième année de pharmacie. Boursière, un père enseignant, elle ne roulait pas sur l'or. Elle habitait une chambre de bonne qui ne comportait pas assez de mètres carrés pour caser un lit à deux places. Elle s'est installée chez moi quelques jours après notre prise de contact.
- Je vais faire une pendaison de crémaillère samedi prochain.
- Mes enfants seront là.
- Tu les coucheras à huit heures.
- Pas facile.
- Tu es rabat-joie.

J'ai essayé de négocier, mais mon ex n'a voulu me les donner ni le week-end d'avant ni le week-end d'après.

– Ils n'ont pas à trinquer à cause de tes putes.

– Ce n'est pas une pute.

– Et comme d'habitude, je suis sûre qu'elle est plus jeune que moi.

– Pas tellement.

Quand plus tard les gosses lui ont dit qu'elle avait vingt-deux ans, elle m'a appelé en larmes.

– Tu m'as menti.

– J'ai exagéré.

La pendaison de crémaillère fut de notre union mon premier mauvais souvenir. Les enfants n'avaient rien voulu entendre. Ils ont vadrouillé toute la soirée au milieu de la cohue. En plus, on me prenait pour son père. Loin d'apporter un démenti, elle m'appelait papounet en caressant ma calvitie.

– Tu as de la chance d'avoir un père aussi sympa.

– Il a l'air trop cool.

Après avoir bu quelques verres, elle a porté le coup de grâce.

– En plus, il ne baise pas si mal.

Ils m'ont regardé avec un drôle d'air. J'ai cru bon de me justifier.

– Je suis son amoureux.

Elle m'a gratté le menton en roucoulant.

– Vieil enculé.

Je l'ai serrée dans mes bras en l'embrassant sur la bouche pour les convaincre que je ne mentais pas. Elle a fait semblant de se débattre, deux lascars m'ont arraché à elle manu militari, résistant de justesse à leur envie de me casser la gueule.

Au petit jour, il restait encore une quinzaine d'invités affalés sur le canapé, les fauteuils, les chaises, les tapis. Ils avaient bu jusqu'à l'eau de Cologne dont ils avaient fait la base d'un cocktail de fruits. Il y avait des mégots dans les verres, quelques trous de cigarette çà et là.

– C'est un désastre.

– On dirait que c'est toi qu'on a brûlé.

Les enfants dormaient profondément sur des coussins, brisés par la fumée de haschich qui avait flotté dans l'air toute la soirée et le rhum dont un pauvre con avait pollué toutes les bouteilles de Coca.

J'errais dans l'appartement comme un survivant.

Vers seize heures, ils étaient tous debout. L'un d'eux est allé acheter de la bière. Ils ont bu quelques canettes en se cuisinant une sorte de frichti dans une poêle. Tout ce qui restait dans le frigo s'est retrouvé en train de frire. Ils ont mangé ce plat étrange avec des biscuits au chocolat en guise de pain.

À la nuit tombée, tout le monde était parti. J'ai dû secouer les enfants pour qu'ils sortent du coma où ils étaient plongés. Je les ai mis dans un bain, je les ai savonnés des pieds à la tête, j'ai mis à la machine leurs vêtements puant le joint.

Je les ai habillés de linge propre, je les ai bourrés de pastilles à l'eucalyptus pour masquer l'odeur de leur haleine encore chargée d'alcool. J'ai pris l'autoroute la peur au ventre d'arriver après dix-neuf heures trente et de me voir menacé d'une procédure pour non-présentation d'enfant.

Quand nous sommes arrivés, elle n'était pas encore rentrée du cinéma. Calfeutrés dans la voiture, nous l'avons attendue sous l'orage. Elle a surgi à pied, parapluie retourné, trempée, mugissante.

– Je suis certaine que tu ne leur as pas fait réciter leurs leçons.

– Ils ont pris leur bain.

J'ai ordonné aux enfants de foutre le camp. Ils sont tombés un à un sur le parking comme des sacs. J'ai démarré en trombe, bousculant une poubelle dont un coup de tonnerre a rendu la chute inaudible.

Notre vie commune a démarré cahin-caha, comme tractée par une locomotive bruyante qui dégageait une fumée âcre.

– Quand on nique, j'essaie d'imaginer que tu as vingt-cinq ans.

– Prends un jeune, ça court les rues.

– J'aime bien mépriser mon mec. J'ai horreur de me sentir dominée.

– Tu me méprises ?

– Un peu.

J'aurais pu en trouver une autre, mais j'éprouvais pour elle de l'amour.

Un jour, je le lui ai dit.

– Je t'aime.

– C'est ton problème.

Pour oublier ma déception, je l'ai plaquée dans la pénombre du couloir. Une relation sexuelle impromptue. J'avais l'impression de la tenir comme un rôti au bout d'une lame de couteau. Elle se laissait piquer, je lui mangeais la bouche avec les lèvres comme un édenté chipote un abricot. Je suis resté en elle après la montée

35

du sperme jusqu'à ce que mon érection ne soit plus. Son corps est tombé lentement le long du mur. Elle s'est affalée sur le sol.

– Qu'est-ce que tu as ? Je t'ai fait mal ?

Elle a redressé la tête. Elle m'a regardé avec des yeux perfides.

– Si tu m'aimais moins peut-être que tu me procurerais de plus beaux orgasmes.

Elle a pris l'habitude d'instaurer des pauses quand nous faisions l'amour.

– Regarde-moi.

– Je te vois.

– Tu es ailleurs.

– Où ?

Elle n'en savait rien.

Une nuit que nous ondulions dans l'obscurité, elle a rallumé brusquement la lumière.

– Ton psychisme n'est plus de la première jeunesse. Il faut dépoussiérer, nettoyer, enlever les toiles d'araignée. Il faut traiter, exterminer les souvenirs malsains qui grouillent dans les recoins.

Elle a frappé mon front du bout des doigts.

– Tout est crasseux là-dedans.

– Mon cerveau est efficace.

– Je vais en parler à papa.

– Il n'est pas neurologue.

– Non, mais c'est mon père.

C'était à mon avis une raison suffisante pour le tenir à l'écart de notre sexualité.

– Je n'ai pas de secret pour lui.

Cet aveu m'a choqué.

Durant le petit déjeuner, j'ai essayé de la convaincre de ne rien lui dire.

– C'est très gênant pour moi.

– Depuis votre première entrevue, il m'a mise en garde. Tu l'avais regardé dans le vague, comme si tu étais rempli de fumée. Il a compris que tu cachais quelque chose. Il m'a demandé de t'épier pendant l'amour.

– *Observe-le avec l'œil d'un flic. Le moindre indice peut nous mettre sur la voie.*

– *Je pourrais le filmer ?*

– *Non, je préfère les vieilles méthodes. Étudie-le, respire-le, en prêtant l'oreille tu pourras même entendre bourdonner ses obsessions.*

Elle est demeurée un moment silencieuse, sa tartine à moitié beurrée en suspens devant sa bouche.

– Depuis, je prête l'oreille.

Je me suis levé en envoyant valdinguer la chaise. J'ai attrapé mon sac de sport. Je suis parti à la piscine.

Quand je suis rentré du bureau à dix-neuf heures, son père regardait un match de basket à la télévision. Il m'a à peine dit bonjour. Je l'ai cherchée partout, mais elle n'était pas là.

– Elle travaille à la bibliothèque de la fac.

– Comment vous êtes entré ?

– Avec ma clé.

– Vous avez notre clé ?

– Elle préfère que je puisse surgir à tout moment pour lui venir en aide.

– Si elle était malade, je serais assez grand pour appeler le SAMU.

Il a coupé le son.

– Malade ?

Il a attrapé mon poignet. Il l'a serré légèrement, comme pour me prendre le pouls.

– Qui est malade ? Je me le demande. Vous ? Oui, il me semble bien que c'est vous.

– Je me porte bien.

– Ne faites pas l'innocent. Ma fille vous a dit à quel point j'étais inquiet ?

– Justement, je suis bien content que vous soyez ici. Je tiens à vous dire d'homme à homme que vous n'avez pas à vous occuper de notre vie sexuelle.

– Tiens donc.

– C'est déplacé.

– Ce n'est pas son avis. Ni le mien. Nous sommes deux contre un.

– On ne va quand même pas voter.

Il s'est levé. Il a marché de long en large dans la pièce. Il s'est arrêté devant la fenêtre.

– Vous devriez faire installer des rideaux. Les gens d'en face surplombent votre salon. À la longue, ils doivent vous connaître mieux que vous ne vous connaîtrez jamais vous-même.

– Dans un salon, on ne fait rien d'extraordinaire.

– Sur ce canapé, vous avez eu par deux fois un rapport avec elle.

Il me le montrait du doigt comme une pièce à conviction.

– Qui vous l'a dit ?

Il a ri.

– Pas vos voisins, je ne les connais pas. D'ailleurs, elle

m'a rapporté ces événements à titre anecdotique. Je suis assez favorable à ce genre de fantaisie. C'est excitant de changer d'endroit. Une façon de briser la routine sans pour autant changer de partenaire.

– Sortez, sortez immédiatement.

Il s'est avancé vers moi.

– Vous avez un problème ?

S'il n'avait pas été si costaud, il aurait eu mon poing dans la gueule.

– Je crois bien que vous avez un problème.

Il s'est emparé de mes mains qu'il a emprisonnées dans les siennes.

– Ne vous débattez pas.

– Je vous en prie, laissez-moi tranquille.

– Je veux le bonheur de ma fille. Je ne suis pas contre le fait qu'elle soit avec un vieux, du reste j'ai à peine quelques années de moins que vous.

Il serrait de plus en plus fort. Je me taisais. J'avais peur de l'agacer et qu'en représailles il ne me brise les doigts.

– Regardez-moi.

J'ai obéi.

– Vous avez le plus grand mal à ouvrir grands vos yeux.

J'ai fait un effort pour les ouvrir à mettre à nu les globes oculaires.

– On dirait que vous essayez de cacher l'un des hémisphères de votre cerveau.

– Non, je vous assure.

Il m'a poussé sur le canapé.

– Asseyez-vous.

Nous sommes restés un moment côte à côte. Le match de basket suivait son cours. Je n'ai pas osé m'emparer de la télécommande pour remettre le son. J'avais l'impression de porter le silence sur mes épaules. Un silence lourd comme un étage.

Il a passé son bras autour de mon cou. Une sorte de crochet.

— Quand vous sautez ma fille, vous pensez à quoi ?

— À elle, probablement.

— D'après toutes les observations qu'elle a pu me transmettre, vous pensez à quelqu'un d'autre.

— À qui ?

— Ou à quelque chose.

— Je me demande bien à quoi.

— Nous aussi.

Il a serré plus fort mon cou.

— Je vous ferai parler de gré ou de force.

Il s'est installé chez nous. Je détestais sa façon de se cacher derrière ses lunettes noires pendant qu'il nous observait par la porte de la chambre entrouverte. Le matin, il exigeait que je prenne ma douche avec lui.

— Vous allez finir par tout me dire.

— Je ne sais rien.

Il tirait sur mon sexe.

— Vous parlerez, votre ménage sera sauvé.

Quand les enfants étaient là, il les emmenait en promenade.

— On devait aller au cinéma.

— Ils en ont marre de vos films. Ils ont besoin de s'aérer.

Je prenais les gosses à part.

— Après, je vous emmènerai au McDo.

Ils se tortillaient.

— Ensuite, on se baladera au Luxembourg. Je vous

louerai des petits voiliers, je vous achèterai des bonbons au kiosque.

Ils baissaient la tête.

– On préfère pas.

Il les montait contre moi. Ils étaient de plus en plus méfiants. Lorsque je les obligeais à m'embrasser, ils s'essuyaient aussitôt la bouche avec la manche de leur pull.

Quand je les ramenais à Nantes, ils se précipitaient en pleurant dans les bras de leur mère.

– Qu'est-ce que ta pute leur a fait ?

– Ce n'est pas une pute, tu sais bien qu'elle est étudiante.

– En pharmacie. Elle est à pied d'œuvre pour se droguer.

Un jour, elle m'a accusé de les affamer.

– En rentrant, ils dévorent.

– Ils vomissent après les repas.

Ils ont été hospitalisés le lendemain. Une méningite cérébrospinale les a emportés trois jours plus tard. Leur école a été mise en quarantaine. J'ai appris la nouvelle par la télévision. J'ai appelé aussitôt leur mère.

– Raccroche. On ne se verra jamais plus.

Je sanglotais sur un pouf. Elle révisait un cours de biologie moléculaire. Son père tournait autour de moi comme s'il était en train de me scanner.

– Parlez. Crachez enfin le morceau.

Ma femme renchérissait.

– Parle. Après, tu te sentiras mieux.

J'ai tendu vers elle mon visage mouillé.

– Mes enfants sont morts.

Ils ont applaudi en chœur.

– Vous allez pouvoir enfin vous consacrer tout entier à votre nouveau ménage.

– Ils ne viendront plus nous espionner. Une belle bande de chafouins à la solde de cette vieille salope.

– On pourrait aller fêter la bonne nouvelle au restaurant ?

Ils m'ont traîné au Terminus nord. Champagne et foie gras. Je me cachais derrière ma serviette pour pleurer. Au dessert, le serveur a proposé de me la changer.

– Elle a l'air humide.

Il n'a pu cacher son écœurement quand il s'est aperçu qu'elle était pleine de morve.

Je me suis rendu à Nantes. L'appartement était claquemuré. La mairie s'est révélée incapable de me dire où et quand auraient lieu les obsèques. J'ai appris beaucoup plus tard qu'elle les avait fait incinérer en Ardèche au crématorium de sa ville natale, avait dispersé leurs cendres du haut d'un pont et les avait suivies.

Son père m'interrogeait chaque soir. J'avais dû évoquer mon enfance et son cortège d'images troublantes.

– J'ai vu ma tante nue.

– Vous l'avez regardée par le trou de la serrure ?

– Non, sur une plage où le nudisme était toléré.

Une autre fois je lui ai confié que j'avais eu des relations avec une cousine.

– Mais elle était majeure.

– Et avec votre mère ?

– Elle n'est pas du tout sensuelle.

– Mais vous y avez souvent pensé.

– Absolument pas.

– Vous y pensez encore.

Elle a cru que son père venait de mettre le doigt sur le nœud du problème.

– C'est à elle que tu penses quand tu me baises.

– Je te jure que non.

Son père a décidé que le mieux serait que nous allions la voir.

– Papa a raison.

– Vous vous sentirez libéré.

Le lendemain, il m'a accompagné à sa maison de retraite. Elle avait eu une violente crise d'angine de poitrine en apprenant la mort de ses petits-enfants. Elle sommeillait tristement dans sa chambre. Elle s'est réveillée en sursaut quand nous avons débarqué.

Sans prendre le temps de la saluer, je lui ai annoncé que je rompais.

– Qu'est-ce que tu racontes ?

– Votre fils reprend définitivement sa liberté.

Avec un vieil appareil qu'il a tiré de sa sacoche, il a pris au flash une photo d'elle.

– Je n'aime pas le numérique. Rien ne vaudra jamais un visage emprisonné dans la gélatine.

Il prenait souvent des clichés de sa fille ainsi que de nos ébats.

– Je tiens rigoureusement son album depuis le jour de sa naissance. Je tiens à garder la trace de son évolution.

Je ne prenais plus ma mère au téléphone. Je ne pouvais même pas aller pleurer sur la tombe de mes enfants. Mon passé était mal en point.

Quand elle a compris que je lui appartenais, elle s'est peu à peu détendue. Elle est devenue joueuse et ne m'a plus traité de vieillard que par espièglerie. Elle me laissait maintenant lui dire *je t'aime* sans se moquer. Elle critiquait même son père quand il voulait s'isoler avec moi pour tester la franchise de mon regard.

Il a même fini par tomber en disgrâce.

– Va-t'en.

– Je suis bien content d'avoir sauvé votre ménage.

Il n'a plus jamais couché chez nous.

Les jeunes tombent rarement malades. Mais quand leur organisme les attaque, il est tellement débordant d'énergie qu'il a leur peau. On venait juste de lui accorder un crédit pour reprendre une pharmacie. Une lettre du labo un matin dans la boîte a mis le holà à sa vie.

– Un lymphome.

Nous avons continué à faire l'amour chaque nuit jusque sur son lit d'hôpital. Pas la dernière semaine, elle était devenue tellement faible que le moindre orgasme l'aurait emportée.

La veille de sa mort, elle n'était pas triste. Elle m'avait chambré, même si elle était trop épuisée pour rire clairement.

– Baisse ton froc.

Dans son état, on ne pouvait rien lui refuser.

– Tu portes encore un slip moule-bite des années 1980.

– Tu sais, à l'époque ça paraissait moderne les années 1980.

– Jure-moi de le brûler et de ne plus jamais porter que des caleçons.

J'ai dû repousser son père qui entendait me l'arracher pour l'arroser d'alcool et le flamber dans le lavabo.

– Je te le jure.

Elle est tombée en syncope. Un infirmier l'a ranimée. Elle faisait des efforts pour parler, comme si elle s'accrochait au langage.

– Je crois que je ressemble à maman.

Son père s'est insurgé.

– C'est à moi que tu ressembles.

Elle m'a pris la main.

– Je mourrai à vingt-huit ans comme elle.

– Tu dis n'importe quoi.

– Il me reste encore trois mois.

Elle est morte le lendemain matin à neuf heures. Je la contemplais, allongée sur ce lit entouré d'appareils qu'une infirmière venait de débrancher. Son père a pris une photo. Un éclair.

– Je la mettrai à côté de celle que j'avais prise à la maternité.

– Elle ne sera jamais vieille.

– Elle n'aurait pas aimé.

Je me suis dit que malgré tout les vieux étaient plus vivants que les morts. Ce n'était pas une revanche, mais on est parfois si désespéré. Une phrase idiote vous réjouit.

Gisèle prend l'eau

Un soleil de documentaire sur l'archipel des Seychelles. Un hôtel comme on en rêve dans les publicités. Le bruit discret des vagues minuscules épuisées par leur voyage au long cours à travers l'océan Indien. Une plage blanche, ondulée, un tapis de sable à peine foulé. La mer d'un bleu plus clair encore que celui des veines qui affleurent à la surface des seins laiteux des filles prudes qui les protègent toute leur vie des ultraviolets sous les amples bonnets à baleine de leur maillot de nonne.

– Gisèle, c'est l'heure du bain.

Il était presque midi. Elle avait eu le temps d'achever la digestion du copieux petit déjeuner dont nous nous étions régalés dans notre chambre.

– Allez, va.

Elle s'est levée à regret du matelas où elle sommeillait.

– Paresseuse, file dans l'eau.

Je lui ai donné une petite tape sur les mollets pour l'encourager.

Une sorte de truie écarlate aux yeux charbonneux m'a jeté un de ces regards qu'on garde en réserve pour humilier les bourreaux d'enfant. J'ai profité de mon âge avancé pour cracher un petit jet de salive dans sa

47

direction comme si un dentier branlant m'obligeait à évacuer le surplus généré par des glandes salivaires qui le confondraient avec un gros bonbon.

Elle a tourné la tête vers son mari qui observait Gisèle trottant dans l'eau. Posant la main sur son bermuda, force lui fut de constater que ce spectacle l'émoustillait au point de raidir sa verge. Elle s'est levée furieuse et l'a entraîné vers le bar en le tirant par le bras après lui avoir enroulé une serviette autour de la taille pour cacher son émoi.

Ma Gisèle sautait dans la mer comme une jeune levrette. Elle prenait soin de frapper l'eau avec ses petites mains pour produire autour d'elle cette écume qui faisait ressortir son bronzage. Je l'ai brièvement applaudie de ressembler à ce point à la négrillonne dont j'avais eu les prémices cinquante ans plus tôt à Abidjan. Après une vie de bête de somme cette gamine devait être devenue à présent un déchet obèse que ses descendants rêvaient de jeter aux ordures.

Gisèle demeurerait belle et fraîche jusqu'à la fin de mes jours. Longtemps après mon décès, elle s'avachirait lentement dans les bras d'un autre qui l'aimerait peut-être autant que je l'aurais aimée. Certains dit-on chérissent les vieilles.

Je me suis approché du rivage. Elle nageait avec soin, cambrant les reins afin de projeter son derrière au-dessus des flots. J'imaginais ses seins labourant la mer et son nombril fixant comme un œil les inoffensifs bébés requins aux mâchoires encore lisses comme un bec qui depuis quelques jours avaient élu domicile dans la baie. Les mères de ces animaux mettent bas distraitement et abandonnent leurs petits comme des bouses. La houle les emporte vers la côte où les plus empotés se fracassent.

J'ai sonné la fin de la baignade d'un cri strident. Elle a nagé, couru vers moi, s'est jetée en vol plané dans mes bras. Je l'ai installée sous le parasol et j'ai remplacé prestement son deux-pièces par des sous-vêtements secs.

– Mais non. Personne n'a rien vu.

Seul un bébé impoli avait levé le nez de son pâté de sable. Avec le soleil dans les yeux il n'avait pu distinguer que des ombres.

– Maintenant, un en-cas.

Une simple pomme verte découpée en quartiers. Des vitamines et de la pectine pour compenser la perte énergétique causée par la nage. Des fibres pour faciliter son transit que les femmes ont toujours poussif.

– Mâche convenablement chaque bouchée.

Elle a agité la main comme pour me signifier son agacement.

– Ne déglutis pas trop vite, tu vas gargouiller.

Après le geste, la parole. Elle m'a adressé une grossièreté dont sous l'Empire romain j'aurais été en droit de me venger en la jetant du haut d'une falaise.

– Tais-toi, maintenant.

Elle ne se taisait pas, continuant à m'injurier avec des mots qu'emploient les jeunes dans les reportages sur la banlieue. Je ne pouvais tout de même pas lui appliquer mon poing dans la figure. Un peu comme on colmate une fuite d'eau, j'ai calfeutré son clapet avec un mouchoir en papier pour empêcher les mots de s'écouler.

Elle n'a pas osé me mordre, mais elle a levé l'index pour me proposer d'aller me faire foutre. Je lui ai fait ma mine de pauvre vieux désespéré qui par le passé avait souvent réussi à la culpabiliser suffisamment pour l'assagir dans les moments difficiles. Elle a éclaté de rire, découvrant sa denture blanche comme une aile de colombe.

– Quand tu es ridicule, tu es drôle.

Je me suis mis à rire moi aussi, mais d'un rire jaune canari.

Je ne suis pas parvenu à la raisonner. Elle a tournoyé autour de moi interminablement, quittant l'hilarité pour m'injurier à nouveau et se remettant à rire quand elle se trouvait à bout d'insultes.

Je me suis replié vers l'hôtel avec le sac de plage. Elle ne m'a pas suivi. Elle a entamé une sorte de ballet entre les parasols. Elle penchait la tête bouche ouverte au-dessus de chaque matelas, comme pour vomir sur l'occupant. Elle n'émettait en réalité qu'un filet de paroles désobligeantes à mon endroit, assez comiques pour déclencher la bonne humeur criarde des clients.

J'ai grimpé jusqu'à la chambre. Mes yeux affleurant à peine afin de ne pas être vu, je l'ai observée depuis la balustrade du balcon. La truie écarlate l'avait prise sous sa protection, la serrant comme un bébé contre ses coups de soleil. Elle tournait le dos à son mari qui était à la recherche de sa paire de lunettes, la tête enfoncée dans le seau d'aluminium dont croyant de la sorte suivre la mode le couple se servait de panier.

J'ai attendu treize heures, l'instant précis où comme s'ils avaient entendu hurler une sirène tous les baigneurs se précipitaient pour aller faire la queue au comptoir du restaurant de la plage.

Je suis descendu. J'ai croisé dans l'escalier un petit couple d'adolescents qui m'a appelé vieux dégueulasse dans mon dos. J'ai émis un gaz fracassant pour leur transmettre tout mon mépris. Ils se sont mis à courir comme des manifestants dispersés à coups de grenades lacrymogènes. Faute d'avoir la force et le droit de corriger les malappris, les anciens sont contraints de se faire respecter avec les moyens du bord.

J'ai traversé le lobby de bois et de béton où des enfants jouaient aux extraterrestres autour d'un tas de valises. Une femme à visage rose de cochonnet m'a proposé son bras pour descendre les trois marches qui menaient à la plage.

– Madame, je suis ingambe.

Les larmes lui sont montées aux yeux. Elle a posé la main sur mon épaule comme si je venais de lui parler d'une maladie épouvantable. Je me suis dit que le bronzage me blêmissait comme cette couche de fond de teint dont on recouvre trop souvent les joues des morts avant de les exposer.

Le soleil était nu, mais un nuage gris stationnaire au-dessus du restaurant déversait une de ces pluies tropicales qui trempent comme une douche. Tout le monde avait déserté, sauf Gisèle qui prenait l'eau au-dessus d'une salade de tomates qu'elle dévorait à grand renfort de pain mouillé.

La nourriture l'enivrait comme un alcool. Quand je me suis assis à sa table avec un parapluie emprunté à la réception, elle m'a adressé un sourire d'ivrogne béat d'ingurgiter sa bière. J'ai versé un peu d'eau gazeuse mêlée d'averse entre ses lèvres pour lui éviter de s'étouffer tant elle peinait à terminer les dernières tranches de l'énorme tomate dont on avait constitué la salade.

– Sers-toi de ton couteau.

Elle a continué à les gober.

J'ai pris un comprimé dans la poche de ma chemise et je l'ai incrusté dans une tranche comme une graine supplémentaire.

Ses parents avaient remarqué dès sa petite enfance qu'un médicament adapté venait plus aisément à bout de ses sautes d'humeur qu'une longue discussion ou une réprimande dont elle se servait de rampe de lancement à de nouvelles extravagances.

Elle a mis à profit ses derniers instants de lucidité pour m'agonir une dernière fois, me versant sur la tête des soupières pleines à ras bord d'ordures langagières qui faisaient la part belle à la scatologie et à la fistule qui fait de mes expulsions un calvaire.

Elle évoquait aussi la nécessité de louer une chambre loin de la mienne pour éviter d'être réveillée chaque nuit par mes ronflements ou le bruit de mes grognements quand je ronchonnais dans un rêve. J'ai gardé le silence, puis quand j'ai vu son débit ralentir peu à peu je lui ai porté l'estocade.

– N'oublie pas que j'ai sur toi l'autorité du mari.

Elle m'a regardé avec des yeux flous. Le principe actif circulait à présent jusque dans le moindre de ses capillaires. Ses neurones communiquaient difficilement l'un avec l'autre, s'envoyant des messages lourds, visqueux, de la boue épaisse. Luttant une dernière fois contre l'anéantissement, elle dodelinait. Puis la tête lui est tombée définitivement sur l'épaule.

– On va remonter.

J'ai regardé ma montre.

— D'ailleurs c'est l'heure de la sieste.

Une habitude contractée aux colonies que j'avais imposée autrefois à mes collaborateurs quand après ma démobilisation j'avais ouvert une entreprise de gardiennage dans la région parisienne. Il y avait un hamac dans chaque bureau et du grouillot à l'attaché de direction chacun devait pioncer quand je faisais tinter la cloche des toilettes et se réveiller à l'instant où j'entreprenais de la sonner à toute volée.

— Debout. Nous avons déjà pris du retard.

Je l'ai soulevée par les épaules et je l'ai mise dans l'axe de l'hôtel.

— Marche.

Des pas de somnambule enfoncé au plus profond d'un cauchemar. Une grande tristesse m'a envahi en me demandant si notre histoire ne serait pas plus belle si elle se terminait aujourd'hui.

Le bénéfice des séjours en clinique et des interminables psychothérapies avait toujours été passager. En dernier ressort, nous avions décidé avec son père de la soigner par l'amour. Un homme mûr saurait l'écouter et son expérience de la vie lui permettrait de mieux gérer ses inévitables crises quand elles surviendraient.

Nous avions envisagé plusieurs maris possibles et nous avions arrêté notre choix sur un camarade de guerre qui par chance l'avait à peine croisée une fois dans la cohue de son baptême et ne pourrait donc pas être soupçonné de nourrir à son endroit des sentiments pervers. Mais un infarctus massif l'a emporté quand nous l'avons appelé pour lui annoncer notre intention de lui donner une jeune fille à aimer.

J'ai alors posé ma candidature. Nous avons convolé l'été suivant. Je croyais qu'un emploi du temps strict, une alimentation équilibrée, des petits cadeaux sans valeur mais d'une fréquence quasi hebdomadaire sauraient user petit à petit les angles aigus de son déséquilibre dont l'épicentre demeurerait toujours enfoui au plus profond du gouffre de sa psychose.

Après dix-huit mois d'efforts, je connaissais des périodes d'absolu découragement. J'envisageais de la livrer à un asile de fous et d'en perdre l'adresse afin de m'en débarrasser et par la même occasion d'en délivrer son père.

Mon sens du devoir l'emportait. J'oubliais le passé, je l'effaçais comme sur un tableau d'école une démonstration mathématique controuvée. J'essayais de mettre notre relation sur de nouveaux rails. Des règles plus sévères encore permettraient peut-être de la délivrer de ces accès de mauvaise humeur auxquels elle lâchait trop souvent la bride pour exprimer maladroitement son besoin de liberté. Alors que le devoir du sage est de réprimer ses désirs tout au long de sa vie.

– Rappelle-toi que seuls les déments sont vraiment libres.

Du reste, la raison sied rudement bien aux femmes. Pour les personnes du sexe, elle est l'équivalent spirituel du tailleur Chanel dont aucun homme ne se plaindra jamais d'avoir à trousser la jupe. Les femmes, cette race à l'intérieur de la race. Une race que par démagogie on peut d'emblée décréter supérieure, mais elle est si différente de la nôtre que les mariages hétérosexuels font souvent penser à l'union de la carpe et du lapin.

Ce n'est qu'à force de mutuelle rigueur que notre couple pourrait durer jusqu'à ma culbute dans le cercueil cinquante à cent semaines plus tard. Moi qui dans mon enfance caressais le projet de durer autant qu'une étoile, une maladie sans scrupules m'avait ramené à mon statut de vieille ampoule grésillante prête à s'éteindre.

Je l'ai rincée sous la douche. Je lui ai fait boire un grand verre d'eau pour hydrater sa bouche empâtée. Elle glissait sur le carrelage. Je l'ai portée sur le lit. Elle s'est recroquevillée. Elle avait la chair de poule. Je l'ai recouverte avec le drap. J'ai baissé le thermostat du climatiseur. Elle s'est endormie.

Je me suis effondré dans un fauteuil. Ces ruineuses vacances exotiques étaient gâchées. Des milliers d'euros jetés de l'Airbus au-dessus des mers. Une jeune épouse dont l'entretien menaçait de me coûter davantage que l'éducation de mes quatre enfants alors qu'elle n'était jamais qu'un corps étranger où pas une goutte de mon sang ne circulait.

Toute cette énergie dépensée pour si peu de moments de bonheur. Une romance au rendement désastreux. Une véritable escroquerie qui grevait non seulement mes finances mais m'avait fait dilapider des mois entiers de ma vie dont au vu de mes derniers bilans de santé je ne pouvais pourtant me permettre de me montrer prolixe.

Je me suis redressé furieux, envoyant balader le fauteuil et la bouteille d'eau qui se trouvait sur le guéridon. J'ai arpenté la chambre.

Si j'avais été un être amoral, j'aurais proposé la vulve de Gisèle endormie pour trois ou quatre cents dollars à l'un des clients russes en mal de putes qui la dévoraient des yeux la veille quand nous buvions un verre au bar avant le dîner. Mais le proxénétisme m'avait toujours répugné. Du reste, je me trouvais trop frêle pour tenir tête à un mauvais payeur ou jouer du couteau pour éloigner un maniaque.

J'ai été tenté de faire tomber ma fureur en absorbant une petite dose d'alcool. Plongeant dans le minibar rempli de canettes de bière ma main s'est figée au dernier moment. Mon foie est fatigué par trop d'années de rhum, de téquila, sans compter les coups de rouge sur le zinc des bistros où j'aimais tuer les heures au temps où il me semblait encore qu'une journée en contenait trop.

Je me suis allongé à côté d'elle. J'essayais d'imaginer que j'étais en train de dormir. Une méthode de relaxation qui n'a jamais fonctionné. Encore plus furieux, j'ai recommencé à arpenter la chambre.

Dehors, la pluie avait cessé. Les garçons de plage essuyaient les matelas avec des serviettes. Les clients s'impatientaient et s'adressaient la parole de couple à couple pour maudire la saison des pluies. Je ne les entendais pas mais je les voyais les uns après les autres pointer du doigt un nuage en train d'enfler à l'horizon.

Je me suis enfui de la chambre où à chaque enjambée il me semblait traverser de part en part les nappes de neuroleptiques que cette petite folle crachait dans l'atmosphère à chaque expiration.

J'ai bu un jus de mangue au bar de la plage. Étalée sur son matelas comme un tas d'aloyau, l'écarlate de tout à l'heure tournait régulièrement la tête dans ma direction. Elle semblait me surveiller, me faire subir du regard un interrogatoire.

Elle cherchait peut-être à me faire avouer que j'avais assassiné Gisèle et qu'à présent j'attendais le coucher du soleil pour percher son cadavre en haut d'un cocotier afin que les oiseaux de nuit le dévorent et qu'au petit matin son squelette décharné tombé des nues soit emporté par la meute de chiens errants qu'on voyait au crépuscule traverser ventre à terre le terrain de golf.

Je lui ai jeté la cerise confite qui décorait mon verre. Les touristes souffrent rarement de malnutrition, elle ne s'est pas précipitée pour la ramasser et l'avaler religieusement comme un flocon de manne.

Je méditais. Je n'entendais pas me venger de cette gamine dérangée en partance pour toute une vie de nomadisme intérieur et d'aliénation. Je rechignais cependant à accepter d'être le perdant de ce mariage, d'endosser le rôle du vieillard appauvri par une péronnelle.

Je suis remonté à la chambre.

Elle dormait paisiblement sur le dos au milieu du lit. Elle était à peu près belle, une jolie fille comme on dit quand on est indulgent. Le prototype de la blonde aux glandes mammaires développées avec des jambes maigres et une paire de fesses à peine plus grasse. Une de ces plantes dont les médias font leurs choux gras. Elles présentent d'ordinaire la météo ou glissent leur grain de sel dans les débats politiques afin de détendre l'atmosphère d'une nigauderie.

Elle n'était pas sensuelle. Bien qu'elle soit majeure, j'avais eu la désagréable surprise de buter contre son hymen durant la nuit de noces. Mes érections ont à peine le mérite d'exister et craignant de fatiguer mon organisme à force de cachets pour donner à mon gland la rigidité d'un outil de forage, je l'ai envoyée le lendemain chez un gynécologue dont le bistouri a fait merveille.

– Bistouri.

J'avais remarqué dès notre arrivée un serveur au regard satanique. Un homme de la pègre infiltré parmi le personnel de l'hôtel pour proposer aux clients des garçons, des filles, diverses drogues, ainsi que des bijoux arrachés aux touristes.

Je lui ai touché un mot de mon projet.

– Il faut encore trouver un acheteur.

– Vous n'allez quand même pas me laisser le bec dans l'eau ?

Tout en ergotant il tapait dur le clavier de son téléphone. Il devait envoyer des messages à ces sortes de concierges du grand banditisme toujours prompts à vous fournir n'importe quelle marchandise de la planète et à vous aider à fourguer n'importe quel butin.

– Il n'y a pas de chirurgien disponible avant mardi.

– Un infirmier ?

– Les chirurgiens sont infirmiers.

La femme écarlate est apparue dans la salle. Une grosse bouée dont dans la pénombre on ne voyait qu'un œil éblouissant comme un phare. Elle venait vers moi d'un pas méchant. Elle m'a marché sur les pieds avant de bifurquer vers la terrasse. Elle s'est laissée tomber sur une balancelle où son mari tirait à grosses bouffées sur un cigarillo dont les volutes montaient jusqu'à une chambre du deuxième étage enfumer le berceau d'un bébé qui dans son sommeil en toussait.

– Ne vous inquiétez pas, elle dort bien.

Le serveur a préféré quand même lui faire une intra-veineuse de penthotal. Elle est demeurée inconsciente jusqu'à la fin de l'intervention.

– Passez-moi la glacière.

Une boîte à chaussures que nous avions bourrée de glaçons. Du travail d'amateur avec ce type qui faute de professionnel disponible, se laissant guider au téléphone par un vulgaire kiné de Bogota, s'était lancé dans la chirurgie pour la première fois de sa vie.

– Rangez-le vite.

Un rein magnifique, rouge brique, tacheté de quelques gouttes d'un sang presque noir.

– Qu'est-ce que vous attendez ?

Je l'ai fourré dans la boîte dont j'ai refermé aussitôt le couvercle.

– Maintenant, il ne faut pas traîner.

Abandonnant le grossier matériel qu'il avait volé aux cuisines, il avait déjà sa veste sur le dos.

– Vous allez quand même la recoudre ?

C'est à peine s'il avait pincé les parois de la plaie et posé un morceau d'adhésif par-dessus.

– Ça tiendra.

– Cousez-la.

– Avec quoi ?

Je suis allé à la salle de bains prendre le nécessaire à couture offert par la direction avec un chausse-pied en plastique blanc et un peigne en fausse écaille de tortue.

– Pas le temps, ça va fondre.

Il m'a arraché la boîte des mains et il a déguerpi.

Gisèle n'avait certes pas mérité de mourir de septicémie sur le bout de voile de bateau dont on avait recouvert le matelas pour éviter de le tacher durant l'ablation. Vers l'aube, elle était brûlante, suante, délirait et son pouls battait à cent trente. Je n'osais enlever l'adhésif gonflé de sang de crainte de provoquer une hémorragie.

À cinq heures et demie j'ai appelé le room-service.

– Je voudrais un médecin.

Le type a cru que je lui réclamais un cocktail dont il n'avait encore jamais entendu parler.

– Un docteur. Ma femme a des saignements.

Il a réveillé un cardiologue qui dormait encore dans le bungalow qu'il occupait sur la plage avec sa femme. Un petit homme à la mèche blanche tombant sur des lunettes à monture dorée furieux d'avoir été tiré du lit pour un problème de menstrues.

– Je vous signale en plus que je suis en vacances.

– Elle ne va pas bien.

– Où elle est ?

Je lui ai montré le morceau de voile ensanglanté où elle n'était plus.

– Vous vous foutez de ma gueule ?

Il est parti.

Elle était en mauvais état sur la terrasse. Attirée par le soleil levant elle s'était traînée l'espace de trois ou quatre pas et s'était effondrée sur les dalles. J'ai soulevé sa tête. Sa figure comme un masque de sang.

J'ai couru jusqu'à l'ascenseur qui emportait déjà le cardiologue. J'ai dévalé l'escalier. Il était dans le jardin quand je l'ai rattrapé.

– Qu'est-ce qui vous arrive ?

Je me suis agrippé à lui des deux mains. Une sorte de vertige et mon visage bouillant dont la transpiration me brouillait la vue comme un rideau de pluie.

– Posez-vous.

Il m'a fait étendre sur un transat.

– Vous êtes sujet aux crises d'angine de poitrine ?

Il a appuyé son oreille contre mon thorax.

– Ce n'est rien, mais à votre âge on court plus lentement.

– J'ai retrouvé ma femme.

– C'est une bonne nouvelle.

Rassuré sur mon état, il a repris sa progression vers la plage.

– Revenez, docteur.

Ma voix couverte par le clapotis des vagues.

– S'il vous plaît.

Il avait disparu. Je me suis relevé avec peine. Les rayons orangés semblaient monter du large. Des faisceaux, des lances qui me transperçaient les pupilles. Parfois aussi le soleil se faisait disque, un bouclier contre lequel je butais et mes pas n'avaient plus la place de se déployer. Je suis tombé, la lumière me plaquait au sol chaque fois que je tentais de me redresser.

M'a secouru un garçon de plage qui malgré l'heure matinale puait déjà la sueur. Des mains blanchâtres d'albinos, un regard d'idiot, un sourire dont il aurait dû dispenser ses affreux chicots.

– Lâchez-moi.

Je lui étais reconnaissant de m'avoir secouru, mais à présent que j'étais droit sur mes ergots je n'appréciais guère sa façon de me donner le bras comme à une dame.

– Allez-vous-en.

– Vous risquez de tomber à nouveau.

J'ai produit un de ces bruits de bouche dont on éloigne les roquets qui vous harcèlent.

– Pfft. Pfft.

S'en retournant nonchalamment vers le cagibi à parasols, il a éclaté d'un rire de rouquin avec sa touffe de cheveux crépus couleur carotte posée comme un calot sur la peau dépigmentée de son crâne.

– Soyez prudent avec vos jambes.

– Espèce d'homme de couleur.

Je me suis transporté jusqu'à l'hôtel.

J'avais négligé d'accrocher à la porte la pancarte *Ne pas déranger*. Il était à peine huit heures et déjà une solide bonne femme passait bruyamment l'aspirateur, tandis qu'un garçon du room-service pénétrait sur la terrasse pour ramasser une tasse à café pleine d'eau de pluie abandonnée depuis trois jours sur la rambarde.

J'ai essayé de banaliser l'incident.

– Elle se sera évanouie en somnambulant.

Il me jetait des œillades épouvantées.

– Un problème féminin.

Je me suis accroupi. L'hémorragie semblait jugulée, son visage recouvert d'un masque de sang séché qui faisait penser à un soin de beauté à l'argile rouge.

– Elle va mieux.

La tête du type oscillait, ses yeux fixant alternativement ma gueule d'homme gêné et celle de Gisèle abîmée.

– Apportez-moi une trousse de secours.

La femme de chambre nous a rejoints avec un balai coiffé d'une serpillière dégoulinante de détergent. Elle s'est figée en apercevant le corps.

– Ouste.

Je les ai jetés dehors.

J'étais épuisé. Je me suis endormi en travers du lit en croyant juste m'y poser le temps de prendre une décision judicieuse.

J'ai su par la suite que durant mon sommeil, escorté du géant qui arpentait la nuit les alentours de l'hôtel avec un fusil pour éloigner les malfaisants, le directeur avait traversé la chambre pour se rendre compte par lui-même de l'état de sa cliente dont ses deux employés lui avaient dressé un épouvantable tableau. Il avait remué le cadavre dans tous les sens pour essayer de le ressusciter. Mais Gisèle était morte obstinément.

Par un réflexe professionnel, il s'en était retourné sur la pointe des pieds pour ne pas troubler le repos du client endormi. Vingt minutes plus tard, la police n'avait pas eu cette délicatesse. Réveil d'un coup de matraque sur l'épaule en guise de bienvenue. Des bras noueux qui m'arrachent, me précipitent, me plaquent au sol, des mains rêches qui menottent mes poignets grinçants d'arthrose.

– Messieurs, je vais tout vous expliquer.

Ils avaient l'air de parler une sorte d'idiome. Un de ces baragouins dont chaque colonie a le secret, mais

dont les mieux tenues interdisent l'usage à leurs fonctionnaires.

– J'exige un traducteur.

Je fus emporté. Un sentiment de honte en traversant
le lobby, le jardin, la plage jusqu'au hors-bord. La femme
écarlate n'avait pas résisté au plaisir de suivre le cortège.
Je crois qu'elle me traitait d'assassin en allemand, en hon-
grois ou en polonais, je n'ai jamais eu le don des langues.

Ils me roulaient dans une bâche tandis que propulsé
par un moteur disproportionné le bateau bandait à mort
au-dessus des vagues.

Une grande pièce vert bouteille avec des claires-voies
en guise de fenêtres. Des écrans, des claviers, une chaise
où l'on m'avait lié après m'avoir déballé. Trois hommes
en uniforme dont l'un m'interrogeait en français de façon
peu amène.

Des allusions à ce rein manquant.

– Un malfrat aura profité de notre profond sommeil
pour le lui dérober pendant la nuit.

Le flic trouvait ma thèse branlante.

– Le plus souvent la vérité ne tient pas debout.

Les images de vidéosurveillance me montraient en
grande conversation avec le serveur qui avait fait fonction de chirurgien.

– Je lui demandais des nouvelles d'une amygdale.

Un manque d'empathie considérable quand je lui
mimais les souffrances du malheureux dont à force de
croître la glande infectée prenait des proportions testi-
culaires.

– Vous ne croyez pas en ma parole de soldat ?

Une moue dubitative.

– Vous n'insulterez pas davantage l'armée de France.
Je me suis dirigé vers la sortie en emportant la chaise
à laquelle on m'avait arrimé. On m'a rattrapé, détaché,
traîné dans une cellule collective où pour se sustenter des
prisonniers hâves se jetaient à la poursuite des chauves-
souris à qui ce trou moisi servait de volière.

Malgré ma décrépitude, j'ai probablement été violé à
mon insu par ces barbares désireux d'humilier en moi le
Blanc. Un homme qui fit comme moi partie des braves
blessés par les Viets à Diên Biên Phu se préoccupe de ce
genre de détail comme d'une guigne.
On me tirait de là chaque nuit pour m'interroger.
– Que vous dire de plus ? Votre pays n'est pas sûr. Dans
vos îles, on n'a pas plutôt tourné le dos qu'on se retrouve
détroussé. Combien de touristes rentrent en Europe sans
reins du tout, avec en fait de foie le rataillon que le malfrat
a bien voulu lui laisser, sans verge, **plus** d'ovaires, une
patte en moins, mains sans doigts, pieds sans orteils, plus
de langue à la bouche, de lèvres au museau, plus qu'un
œil, plus de cœur, même le nombril envolé et ceux dont
on a carotté l'âme tandis qu'ils s'adonnaient aux joies de
la pêche sous-marine ?
J'ai été extradé.

Un séjour à la prison de Fresnes. Des codétenus cou-
rageux dont la plupart avaient tué. La franche camara-
derie des hommes enfermés. Les criminels sexuels qu'on
torture dans les douches. Les gardiens menacés de mort
tremblant à notre approche. Certains que nous jetions
au mitard pour nous avoir servi une soupe refroidie.
Une vie de caserne rajeunissante qui m'a fait retrouver

mes joues d'antan et a reculé de quelques mois la date de mon décès d'après le gériatre assassin qui partageait ma cellule.

La chambre avait été nettoyée avant l'arrivée de la police. Une arrestation précipitée, aucun relevé effectué sur la terrasse. Un technicien dépêché une semaine plus tard, la chambre déjà relouée à un couple dont le fils compissait régulièrement la terrasse et le personnel de laver à grande eau trois fois par jour le carrelage dont l'infortuné ne put tirer que des clichés sans intérêt pour l'enquête.

Pas d'aveux, pas de preuve. Un non-lieu. Une sortie triomphale de la prison. Les gardiens au garde-à-vous, mes codétenus formant une haie d'honneur jusque dans la rue.

Le taxi qui m'arrête devant le cimetière de Bagneux. Une tombe en construction avec juste une pancarte de carton gondolée par la pluie signalant son nom de jeune fille et le numéro de l'emplacement. Agenouillé, j'ai médité sur sa courte vie.

De retour à la maison, je me suis aperçu que j'étais absolument seul. Depuis mon premier veuvage et les successives fâcheries avec mes quatre enfants, le père de Gisèle avait été mon unique rempart contre l'isolement absolu. L'union avec Gisèle n'avait été que la conséquence de notre profonde amitié.

– Tu as tué ma fille.

– C'est une plaisanterie.

– À cause de toi, je crèverai sans descendance.

Un dialogue qui avait scellé notre rupture en pleine

audience. Un témoin à charge absent des lieux du crime venu me calomnier sous les quolibets de mon avocat surpris qu'il ait donné sa fille à une pareille crapule.

Des journées à faire le planton dans ce bout de cour qui donne sur le garage des voisins. La rage de crever à petit feu loin du corps de Gisèle, d'une femme, d'un être humain, d'un organisme vivant, même si une sainte horreur des bêtes m'empêchera toujours de prendre un animal de compagnie.

Des stations de dix ou douze heures devant le téléviseur. Parfois, une matinée, une soirée, un grand morceau d'après-midi consacrés à des appels infructueux à mon serveur mafieux qui en tout et pour tout ne m'avait envoyé qu'un mandat de deux cents euros.

– Un rein de dix-neuf ans vaut au moins vingt fois plus.

– Il a souffert pendant le voyage.

– Il n'en a pas moins été greffé.

– Le client se plaint de cystites, de vertiges, de troubles sexuels. Il veut vous traîner en justice. Si vous continuez à me harceler, je lui donnerai vos coordonnées et pour éviter une interminable procédure il vous enverra un tueur à gages.

Je n'ai plus osé l'appeler.

Chaque mercredi, une ambulance me conduit à l'hôpital où l'on me transfuse pendant de si longues heures que j'ai l'impression qu'on transvase en moi le sang d'une foule.

Le professeur ne m'a pas caché qu'un jour on me garderait.

67

– Alors, chaque fois n'oubliez pas de prendre un petit sac avec vos affaires de toilette et deux caleçons.

– Pourquoi deux ?

Il a souri dans son bouc poivre et sel. Ils me garderont pour mourir et l'assistance publique n'a plus les moyens d'accorder aux mourants une longue agonie.

Je l'ai longtemps redoutée, la mort. Aujourd'hui, elle me semble charmante dans sa petite robe fleurie d'excursionniste dominicale. Gisèle lui ressemblait un peu quand je l'emmenais pique-niquer certains dimanches à Joinville-le-Pont. Une pâle copie malgré tout, sans aucune affinité avec le néant qu'elle aurait pris pour un gâteau ou une godasse si elle s'était trouvée nez à nez avec lui.

La mort me cueillera, vieux fruit mûr à faire peur. Je n'aurai plus la peine de tendre les bras chaque matin pour enfiler la vie comme une chemise dont après quatre-vingt-trois années, autant de mois de novembre humides, de février verglacés, d'août chauds comme un four et trois milliards de battements de cœur, la flanelle m'irrite.

L'explosion du langage

Mes parents avaient créé une entreprise de pompes funèbres florissante tombée en faillite avec la découverte des antibiotiques qui fut cause d'une vaste épidémie de survie dont ils ont subi de plein fouet les dommages collatéraux.

Mon père est mort de chagrin en déposant son bilan. J'ai été élevée jusqu'à douze ans par une mère aigrie prompte à me souhaiter une destinée lamentable à chaque désobéissance imaginaire dont elle m'accusait pour passer sur moi sa mauvaise humeur quand la gérante du magasin de fleurs où elle tressait des couronnes l'avait morigénée pour une queue de rose brisée, un chrysanthème blessé d'un coup de ciseaux malencontreux, un pétale arraché à la corolle d'une marguerite qui en était morte.

Quand elle eut trépassé d'un accès de fièvre empoisonnée par son sang bouilli, je fus attribuée à une famille d'accueil dont tous les membres étaient des vampires. Ils préféraient me garder à la maison plutôt que risquer une dénonciation de la part d'un enseignant qui m'aurait trouvée pâle.

Je suis sortie de chez eux à dix-huit ans ignare, maigriotte, folle furieuse d'avoir été ponctionnée toute mon adolescence et faute d'avoir étudié d'en être réduite à

69

entamer une vie d'adulte qui ne me rapporterait jamais assez d'argent pour pouvoir m'acheter sur mes vieux jours un de ces vastes cercueils laqués dont mes parents me rebattaient les oreilles au temps de leur splendeur et qui, petite fille, m'imaginant voguant nonchalamment sur ce macabre esquif jusqu'à l'Éden, me faisait rêver de mon décès comme d'un tour de manège.

J'étais si jeune que ma laideur se remarquait à peine et la fraîcheur est un argument quand il s'agit de séduire un employeur. D'abord apprentie bouchère dans une boutique où en fait de formation je lavais toute la journée le pavé sanglant, j'ai ensuite fait partie d'un commando de femmes de ménage qui prenait d'assaut un immeuble de bureau à onze heures du soir pour le rendre à l'aube propre comme un sou neuf.

Afin d'améliorer notre quotidien, nous volions des fournitures, des téléphones, des calendriers rotatifs et raflions les objets personnels oubliés par les employés.

Un matin, la police nous a attendues dans le hall du rez-de-chaussée. Quinze heures de garde-à-vue, perquisition, découverte dans la penderie de mon studio de Bois-d'Arcy d'une boîte de stylos à bille et d'une machine à écrire. Mise en examen, deux mois de préventive, comparution et six mois de prison avec sursis assortis d'une amende hors de prix.

J'avais vingt ans, pour tout bagage ce pedigree de délinquante. Les clients ne demandent pas aux prostituées de montrer patte blanche, mais j'ai vite développé une allergie à la peau des mâles. Une maladie professionnelle qui m'a contrainte à abandonner le métier sans me valoir aucune indemnité des services sociaux.

Je me plaçais comme bonniche. Je lavais, repassais, cuisinais, débarrassais, aspirais, débarbouillais les mômes, les vieux, allant jusqu'à accepter de frotter sous la douche les maris immoraux pour ne pas perdre ma gratification de fin d'année.

J'usai de la sorte dix ans de ma vie. À trente ans, ma laideur commençait à prendre le pas sur ma jeunesse. On refusait de m'embaucher de crainte que les enfants ne me prennent pour une sorcière.

Les aveugles assez riches pour s'offrir une domestique ne sont pas légion. Ils vous en veulent d'y voir clair, vous mènent la vie dure, comptant sur l'apitoiement du juge si d'aventure vous alliez vous plaindre au commissariat des coups de canne blanche dont à longueur d'année ils vous tannent la gueule.

Je préférais encore faire la plonge dans des restaurants aux cuisines obscures, vivre d'ordures pêchées dans les poubelles, servir de cobaye aux laboratoires testant des médicaments expérimentaux contre les mentons prognathes et les nez gigantesques qui avaient donné des résultats encourageants sur le singe et une tribu de pygmées que l'équipe de savants afrikaners qui les avait mis au point considérait comme une variété de chimpanzés.

J'étais si laide qu'un jour où on avait égaré mon dossier j'ai eu toutes les peines du monde à obtenir ma libération, tant on me trouvait de points communs avec le macaque et si peu avec l'humain dont je ne possédais disait-on que le ventre glabre et la touffe pubienne.

J'évitai l'internement dans un zoo au bénéfice du doute, mais on refusa de me verser mon salaire au prétexte qu'aucune banque n'accepterait d'ouvrir un compte à un animal, même si comme moi il avait la langue bien pendue.

J'obtins de l'évêché une copie de mon certificat de baptême. Il me servait de sauf-conduit quand j'étais contrôlée par des policiers de mauvaise foi qui après avoir conclu à l'authenticité de ma carte d'identité prétendaient que pour ne pas être taxée de racisme l'administration allait jusqu'à accorder des passeports aux chevaux.

À trente-sept ans, je fus frappée par une ménopause précoce. Je n'avais jamais voulu d'enfants, craignant qu'ils ne me ressemblent, craignant la dépense pareillement. Je n'ai donc pas davantage pleuré mes règles qu'une hémorragie.

Dès que mes cycles ont commencé à devenir erratiques, mon visage s'est peu à peu couvert d'un voile de temps. Une substance impalpable dont ne venaient à bout ni la brosse ni le rasoir avec lequel je la raclais en la prenant pour un début de barbe. Une pellicule faite de jours et d'heures brisés, réduits en une sorte de poudre de riz qui avait la vertu d'atténuer la rudesse de mes traits et de rendre ma laideur plus sobre.

Forte de cette métamorphose, je me suis enhardie jusqu'à répondre à une petite annonce proposant une place de domestique dont le salaire plantureux m'avait mis l'eau à la bouche. Elle précisait que les candidates devaient être équilibrées, matures, ne craindre de surcroît ni le travail ni la syntaxe.

Une annonce que dans mon analphabétisme je m'étais fait lire par le garçon d'un café où de temps en temps je m'offrais le luxe d'un expresso.

– Syntaxe ?

Nous ne connaissions ni l'un ni l'autre ce mot, mais à son avis il n'était pas obscène.

– Vous ne risquez rien d'aller jeter un œil.

Je parcourus à pied et en auto-stop les cent vingt-cinq kilomètres qui me séparaient du lieu d'embauche. Une grande propriété perdue dans une région de campagne où en fait de ville on ne connaissait que le hameau et le bourg, habitée par un grammairien qu'avait enrichi la découverte d'un nouveau mode de conjugaison appelé le mode dubitatif, qui permettait de dire sans affirmer, sans exclure non plus la possibilité du contraire, ni prendre le risque de s'impliquer personnellement dans une proposition capable peut-être de valoir des ennuis à un locuteur imprudent.

Cette invention lui valait plusieurs centimes chaque fois qu'un journaliste l'employait, qu'elle surgissait au cinéma dans la bouche d'un acteur, sans compter le jackpot des chansons truffées de serments amoureux n'engageant pas à grand-chose que les radios ressassaient à cette époque approximative flirtant avec les années 1970, 1980, ou même 1990 et qui traînait aussi ses guêtres dans les décennies du siècle suivant.

Contre toute attente, ma tête sans joliesse et sans charme lui convint.

– Votre beauté négative n'est pas abyssale.

Il m'engagea.

Les premiers temps je passais mes journées à épousseter les livres de sa bibliothèque dont le nombre enflait avec sa fortune. Construit au milieu du parc, l'édifice gagnait une aile chaque année.

Des dizaines de milliers de livres au contenu collé aux

pages, à la substance figée sous les couvertures comme un malade sanglé à son lit. D'autres au langage moins adhérent, dont certains mots s'échappaient, courant dans les rayons, grimpant au plafond comme des cafards, se laissant retomber sur des incunables où ils faisaient ingénument leur nid.

Mon patron de bondir quand il découvrait un terme d'aéronautique au beau milieu des *Métamorphoses* d'Ovide, un élément d'argot des années 1930 dans un recoin de l'*Enfer*, une insulte appartenant au jargon que causent les cosmonautes de toute nationalité quand ils arpentent l'espace dans les *Confessions* de saint Augustin.

Des mots mutins, joueurs, qui le faisaient sortir de ses gonds et arroser les étagères d'un produit insecticide pour les faire passer de vie à trépas. C'était pitié de balayer leurs caractères décédés, cadavres couleur de cendre, au lendemain d'un de ces massacres qui loin d'assagir les survivants les surexcitaient.

Certains se regroupaient en petites communautés, creusaient des tunnels jusqu'au cœur des dictionnaires pour mettre les définitions cul par-dessus tête, perturber l'orthographe, briser les queues des q et des p, crever les panses des a, boucher le cœur des o et à ce point secouer les e que perdant la boule ils se prenaient désormais pour des consonnes inconnues dont la prononciation cassait les dents.

Il essayait en vain de remettre de l'ordre avec ses gros doigts. Il utilisait mes mains fuselées, m'empruntait ma pince à épiler sans plus de succès. Il leur jetait des crachats haineux, ne réussissant qu'à les faire fuir en laissant derrière eux un volume de pages humides, blanches, gonflées, visqueuses et bonnes à jeter aux ordures.

Il a décidé que ce phénomène ne touchait qu'une portion très limitée de la population des vocables. Il suffisait d'isoler les zones où ils proliféraient pour arrêter la contagion.

Des maçons n'en finissaient pas de monter des cloisons pour cloîtrer les collections félonnes dans des placards de brique, de recouvrir de plomb fondu les textes révoltés, de murer des pavillons louches, tandis que d'autres en construisaient de nouveaux pour accueillir les volumes fraîchement sortis des presses ou infiniment vieux que sa fortune toujours croissante lui permettait d'acquérir et dont il espérait qu'ils se montreraient imperméables à la propagande de leurs frères dégénérés si en dépit de toutes ces précautions ils parvenaient à entrer en contact avec eux.

C'est dans un de ces pavillons flambant neufs que le phénomène prit les proportions d'un sortilège. Un lundi matin, j'ai trouvé dans une salle fleurant encore la peinture fraîche toute une colonie de mouches que j'ai eu le plus grand mal à jeter dehors par les lucarnes. Le lendemain, ce furent d'insupportables rouges-gorges qui voletant au-dessus d'un livre d'heures grand ouvert sur un lutrin en picoraient ponctuation et vocables comme du grain et des vermisseaux.

Les jours d'après apparurent un agneau, une vache, un cochon, des requins qui nageaient dans l'air comme des poissons dans l'eau, des chèvres, des brebis et une sorte de pâtre.

La semaine suivante, je suis tombée nez à nez avec un soldat, une femme en robe de soirée, une maraîchère poussant entre les rayons une voiture des quatre-saisons

75

chargée de primeurs, sans compter tous ces berceaux pleins de nouveau-nés en robe de batiste, d'orphelins roulés dans du papier journal en guise de langes, ces gamins aux cheveux noirs, ces blondes petites filles à bonnet de dentelle, ces jeunes hommes en pagne se battant, leurs fiancées tout autour applaudissant chaque fois que jaillissait le sang, ces personnages en costume échangeant des poignées de main, ces dames de compagnie flanquées de marquises excentriques, de mesquines bourgeoises à petit manteau et ces chauffeurs de taxi avec leurs guimbardes dont les fumées rendaient l'atmosphère irrespirable et coûtaient la vie à bien des petits.

Mon patron interrogea ses confrères spécialisés dans l'éthologie du vocabulaire pour savoir s'ils avaient jamais entendu parler d'un pareil phénomène. Un vieux Serbe retrouva dans ses archives le récit d'une éclosion de poussins et de coqs à proximité d'un guide en latin vulgaire à l'usage des paysans tentés par la constitution d'un élevage copié sur parchemin par un moine au milieu du premier millénaire.

– Une banale histoire de mots à qui leur sens est monté à la tête. Le mot gourdin devient un réel bâton, sucette se fait sucre d'orge, orage se fait pluie. Toutefois, il y a le plus souvent une perte de substance entre le mot et la chose. Si vous voulez voir apparaître une bicyclette dites plutôt motocyclette, si c'est un béret dites chapeau et pour obtenir un chaton mieux vaudra le mot de tigre ou celui de lion. Quant à l'argent, sachez que le vocabulaire est d'une avarice sordide. Vous pourrez entasser des milliards de milliards de mots disant ducats, dollars ou quelque autre monnaie de votre choix et vous n'obtiendrez pas même un centime de fausse monnaie.

On appelait la police. Les adultes étaient stockés dans une prison où des matons les passaient à tabac pour leur faire avouer leur identité. Ils n'obtenaient que des grognements, des plaintes, des pleurs. Par une ironie du destin la parole avait été refusée à ces mots vaniteux qui se sentant à l'étroit dans l'abstraction s'étaient laissés aller à impudemment s'incarner.

Les bébés étaient placés dans des orphelinats, ainsi que la marmaille et les adolescents qui proliféraient par génération spontanée jusque dans les salles hermétiques, sans issue, qu'on avait construites autour des rayonnages où on avait enchaîné les livres.

Peine perdue. Grâce à la malice d'une recette grammaticale dont encore aujourd'hui aucun humain n'a la moindre notion, ils parvenaient à s'échapper sans percer l'ombre d'un trou comme s'ils connaissaient le sésame de la matière.

Le pire était à venir. Après tout un été de surpeuplement, l'État refusa dorénavant de prendre en charge les hordes d'humains et de bêtes ne cessant de surgir de tous les pores des ouvrages dont mon patron obstiné refusait de faire un autodafé.

Il a été contraint d'engager une milice privée. Des géants noirs venus de Haute-Volta chargés d'éloigner les troupeaux d'animaux et les populations mineures à l'aide de gaz lacrymogène. Contre les adultes quels que soient leur âge, leur sexe, les piaillements pitoyables s'échappant de leur gosier crachant l'encre, ils usaient d'armes automatiques achetées fort cher à une organisation terroriste.

Un flot ininterrompu d'êtres vivants de toute espèce, une marée, le flux et le reflux d'une foule dépenaillée, souvent saignante, mutilée, qui s'en revenait sitôt chassée, enjambant ses sœurs, ses frères, ses enfants, ses animaux de compagnie morts d'une balle ou en train de pourrir vivants au soleil.

À partir du début du mois d'octobre ont commencé à éclore les premiers engins de guerre. Chars d'assaut défonçant parterres de fleurs et platanes, avions jetant sur nous bombes et parachutistes. Sous-marins et cuirassiers dédaignant notre pauvre mare à grenouilles rampaient furieusement à travers nos terres, les espionnant, les canonnant.

Des généraux, des amiraux, des maréchaux anonymes arpentaient gravement la propriété devenue champ de bataille. De petits chefs aux képis étoilés, menu fretin des guerres oubliées, trop honteuses ou médiocres pour qu'on s'en souvienne.

Il s'en trouvait pour nous toiser par l'œilleton de leur longue-vue, pour nous montrer à leurs officiers du bout de leur canne comme si nous étions des bêtes curieuses, pour nous tourner carrément le dos afin de nous signifier leur profond mépris.

Ils apparurent aussi les Napoléon, les César, les Alexandre le Grand de tout acabit, ainsi que cent de Gaulle, vingt Churchill et dix-huit MacArthur. Et puis la cohorte des Mussolini, des Néron, des Hitler et ces Staline avec leur vareuse de peintre montmartrois qui entendaient recouvrir la région de goulags et de Sibérie.

Le sans-gêne de ces personnages qui non contents de se multiplier ne cessaient de piller, de déclencher des tueries et même des attaques atomiques encore localisées autour des pavillons traitant de la Seconde Guerre mondiale, mais dont le rayon d'action augmentait chaque jour et menaçait d'englober bientôt région, pays et une partie de l'ouest de l'Europe.

Couvert de vocabulaire pulvérisé par l'explosion d'une édition récente de la déclaration de guerre de l'Allemagne à la Serbie d'août 1914, mon patron prit une décision qui fit perler des larmes au coin de ses yeux.

– Il faut exterminer les livres d'histoire.

Dont les multiples de ces grands hommes étaient sortis, ainsi que tous ces soldats et ces engins infernaux qui nous terrifiaient depuis plusieurs semaines.

Il ramassa un lance-flammes fraîchement tombé d'un essai sur la combustion et entreprit de brûler vifs des rayonnages entiers dont on a pu entendre les hurlements à dix kilomètres à la ronde.

Des ouvrages où s'entassaient pêle-mêle des réserves de troupes, d'armement, sans compter la population civile réfugiée dans les caves des villes bombardées, affamée dans des camps, engagée dans une interminable queue pour obtenir un malheureux morceau de fromage au goût de plâtre.

Il a acculé trois Jules César et un groupe de Bismarck dans un coin de cour où l'on entreposait du bois de chauffage. Un véritable bûcher où ces grands hommes ont agonisé en couinant comme des jouets.

Au lieu de l'apaiser, ce sacrifice l'a exalté. S'engouffrant dans les mémoires d'un secrétaire de la Défense américain, il s'est emparé d'une DCA pour descendre les escouades d'avions de chasse qui les premiers temps nous avaient canardés avec des projectiles à l'état de langage incapables de causer d'autre dégât qu'une légère démangeaison, mais qui avec la radicalisation du conflit commençaient à user d'armes mortifères.

Encouragé par la destruction des trois quarts de la flotte aérienne, il prit le goût du massacre et décida de s'en prendre à la population des romans. Dans un journal de propagande soviétique de 1943, il trouva des canons, des mitrailleuses, des lance-roquettes et des hangars remplis à ras bord de munitions et de caisses d'explosif.

Une hécatombe verbale et de mots transsubstantiés devenus signifiés. Des Guermantes dont on voyait bien à la couleur de leurs blessures qu'ils s'étaient incarnés, tout comme ces Causette, ces Oliver Twist, ces fils Lepic éventrés et cette femme entre deux âges échappée d'une émeute d'un roman de Zola, recroquevillée sur un sac de riz qu'avant de mourir elle avait pris pour son bébé resté à l'étage qui survivrait à l'assaut mais essuierait un instant plus tard la chute d'une poutre qui lui ôterait la vie.

Jour et nuit médias de toutes sortes braquaient leurs instruments sur le spectacle. Des comptes rendus qui avaient rapidement débordé des programmes culturels des canaux happy few pour envahir les chaînes populaires. Ploucs et commerçants se passionnaient tout autant pour cette guerre que la population des lettrés.

On signala même des batailles de rue opposant les supporteurs des diphtongues à une bande de voyous armés de fusils à pompe qui les vouaient aux gémonies. Une populace ignare ne se fiant qu'à la carrosserie des mots quand elle en voyait à l'écran l'image, à leur texture au sortir de la bouche quand elle avait l'audace de les prononcer ou cherchant simplement un motif au fanatisme aveugle qui depuis sa naissance sourdait en elle sans exutoire.

Je fus massacrée un soir en balayant le porche de la maison jonché de douilles, percé de trous d'obus, souillé du sang noir du langage échappé des grimoires, par tous les t d'une roquette à ailettes qui avait commencé à muter et dont la moitié des lettres s'étaient faites titane. La main gauche arrachée, un œil perdu, une oreille assourdie et un traumatisme psychique dont je suis à peine remise aujourd'hui.

Sur l'écran du téléviseur de ma chambre d'hôpital, de l'œil qui me restait j'ai aperçu trois jours plus tard mon patron exploser. Il s'était emparé d'une bombe qui n'en était que le nom et qui dès qu'il l'eut dans les bras s'incarna.

En guise d'éloge funèbre, il se trouva des commentateurs pour dire qu'il fut puni par là où il avait péché. Mais on n'a jamais su quel était le péché qu'il avait commis ni par où.

Après son décès, le conflit s'est prolongé encore quelques heures, le temps que la nouvelle soit parvenue à la confuse conscience du vocabulaire désaxé. Alors, pseudo-objets et fausses gens fourvoyés dans l'ordre de la matière firent tous leurs efforts pour regagner leur conque langagière.

Ceux qui avaient péri pendant les batailles furent enterrés dans des fosses qu'on recouvrit de chaux vive. Armes et véhicules en trop piteux état pour trouver l'énergie de redevenir les mots qu'ils étaient naguère, ont connu le sort des ferrailles dépiautées, revendues au poids, recyclées, dont on a peut-être fait le sommier de ce lit dont vous vous plaignez des grincements chaque fois que vous vous accouplez.

Le mode dubitatif ne survécut guère à son inventeur. Il tomba peu à peu en désuétude avant de disparaître tout à fait. Depuis longtemps, plus personne ne se souvient de cette façon de s'abstenir de prendre le risque d'être contredit.

N'empêche qu'à sa mort, outre la propriété et les rares éditions originales encore valides, il abandonnait derrière lui assez de millions pour bâtir une rue, acheter un train, ou permettre à une famille de quatre personnes de vivre dans le luxe et l'absolue fainéantise durant trois ou quatre siècles.

Il ne laissait ni épouse ni enfants ni dernières volontés en ma faveur. Ses héritiers, de revêches neveux tout en jambes, refusèrent de me verser la moindre compensation pour les dommages corporels que j'avais subis, sous prétexte que mes handicaps étaient largement compensés par l'alphabétisation miraculeuse dont j'avais bénéficié chez leur oncle en recevant sur la tête un carton plein de dictionnaires et de précis de conjugaison dont toute la substance s'était liquéfiée au moment du choc, trempant mon crâne, mon cuir chevelu buvant tout ce savoir avec l'avidité du sable sec l'eau de la vague.

Grâce à l'argent économisé sur mes gages dans ce coin perdu, je fis l'acquisition d'une chambre avec douche sous les combles d'un immeuble gris du quartier historique d'une ville moyenne.

Je n'avais que quarante-sept ans. Je m'employais dans une famille ravie d'engager une femme qu'elle avait vue servir à la télévision sous la mitraille. Mes handicaps me rendaient peu opérationnelle pour le service, je n'avais qu'une fonction décorative. Je passais le plus clair du temps au milieu du salon dans une cage de verre taillé en loupe afin que les invités puissent se pénétrer du moindre détail de ce visage qui avait connu son quart d'heure de gloire.

Gloire qui s'usa. Je n'avais pas encore atteint la cinquantaine que plus personne ne voulait faire l'effort de me reconnaître. Je fus gardée par gentillesse, occupée à éplucher interminablement des légumes qu'on jetait le soir venu afin de me donner l'illusion d'être utile.

Quand j'ai eu soixante-trois ans, mes employeurs ont fait valoir mes droits à la retraite et m'ont remerciée avec en cadeau un bureau à cylindre.

– Vous qui êtes si lettrée, vous pourrez y ranger vos pensées et rabattre vivement le couvercle pour les empêcher de s'envoler.

Il est vrai qu'après ma fulgurante alphabétisation j'étais devenue une sorte d'intellectuelle inquiète de l'avenir de la langue, des accords, de la désuétude dans laquelle tombait l'hémistiche et du sort des érudits dont l'hégémonie des mémoires artificielles dévalorisait inéluctablement le savoir.

Je parvins à caser le bureau entre mon lit et la table où je cuisine sur un réchaud. Je me suis mise à écrire de petits contes érotiques, espérant en tirer assez d'argent pour compléter ma pension et joindre les deux bouts. Aucune revue ne s'est portée acquéreur.

Je les serre dans la boîte en fer où repose mon testament qui porte la consigne de m'enterrer avec eux pour émoustiller les anges.

Les étés moites

J'ai quatre-vingt-dix-sept ans. Je suis veuf depuis janvier 1998. Une pneumonie attrapée sous la pluie. Malgré les perfusions, ma femme est morte la semaine suivante à l'hôpital Sainte-Marguerite.

Les démarches auprès des pompes funèbres, les visites des proches et l'enterrement m'ont plongé dans un état d'excitation extrême. De retour du cimetière j'ai ouvert la fenêtre de la chambre pour dissiper l'odeur persistante d'eau de lavande que ma belle-fille vaporisait chaque jour au-dessus du corps.

J'ai rangé la cuisine. J'ai cassé deux œufs dans une poêle. Je les ai fait glisser sur une assiette en porcelaine bleue sans réaliser qu'il s'agissait d'une assiette à dessert. Je les ai relevés d'un filet de vinaigre, d'une pincée de poivre. J'ai percé les jaunes avec le bout de ma fourchette. En même temps qu'ils se répandaient j'ai fondu en larmes.

Je n'ai été que larmes pendant trois mois. Je perdais des kilos. Au lieu de mes insomnies habituelles j'avais l'impression de ne plus dormir du tout. Mon médecin m'a fait tâter de tous les médicaments de la pharmacopée. Ils m'abrutissaient sans me consoler, me procurant un sommeil léger, un sommeil vague, un sommeil flou, brouillant la réalité à me la faire prendre pour un rêve.

– Vous ne tournez pas rond.

– C'est le chagrin.

– Quand il n'est pas pathologique, un chagrin se résorbe en sept à huit semaines.

Il a profité de mon extrême faiblesse pour me prendre un rendez-vous chez une psychologue spécialisée dans le troisième âge.

Je n'avais jamais aimé ces gens-là. J'avais entendu dire qu'ils voulaient vous faire avouer des horreurs.

C'était le début du printemps. Un après-midi ensoleillé. L'impression fallacieuse que l'été va commencer le lendemain. Son cabinet était perché en haut de la Canebière au cinquième étage d'un vieil immeuble gris aux corniches peuplées de pigeons. Un ascenseur ciré, lent, dont on plaint la mécanique tant elle geint comme un haltérophile qui soulèverait la cabine à bout de bras.

Une femme portant lunettes, grise de regard, de cheveux et de robe comme si la façade avait déteint sur elle. Il y avait un divan au fond de la pièce mais elle m'a fait asseoir en face d'elle dans un fauteuil de cuir neuf.

– Dites-moi.

J'ai pleuré en lui racontant ma peine. Elle m'observait en silence.

– Je vous prie de m'excuser. Depuis qu'elle est morte, les larmes me viennent.

– Avant vous ne pleuriez jamais ?

– Non. Même quand une pneumonie a emporté notre fille il y a cinquante-six ans, j'ai gardé l'œil sec. Ma femme se laissait aller, mais je suis toujours parvenu à rester digne.

– Elle pleurait à votre place.

Je n'ai pas osé lui dire à quel point je trouvais sa phrase étrange.

– Vous avez été heureux autrefois ?

– Beaucoup de jours de joie. Du soleil, énormément de soleil. Dans le Midi il y a plus de mistral que de pluie. Des insomnies depuis l'enfance, mais à la longue je m'y étais habitué. Elles ne me dérangeaient pas. Quand je ne dormais pas la nuit, je m'occupais.

– Comment ?

– Du temps où vivait ma femme, j'en profitais pour faire sauter des crêpes. Elle adorait les crêpes au petit déjeuner.

– Et maintenant ?

– Même quand je dors, je ne dors plus vraiment.

Je suis resté chez elle longtemps. Un audit méticuleux qui s'est terminé par des aveux.

– Ma vie sexuelle a mal commencé.

Chaque mois de juillet, ma mère me donnait à une tante. Une veuve quadragénaire blonde et laide qui vivait seule dans une villa sur la côte normande. Il y avait des chambres vides dans toute la maison, mais elle m'imposait de dormir dans la sienne.

– Tu aurais peur tout seul. Je suis plus tranquille de savoir que tu es à ma portée. Tu ne m'aimes pas ?

Elle me couchait tôt. Il y avait des lits jumeaux séparés par une table de chevet étroite comme un livre. Chaque nuit elle exigeait que nous permutions.

– C'est plus drôle le lit du voisin. Il faut rire dans la vie.

Je n'aimais pas sentir son odeur sur l'oreiller. Je m'installais sur le dos, nez en l'air, en respirant par la bouche.

La chambre tout entière empestait son corps. Parfum

écœurant à dominante de patchouli, muguet de la savonnette, des émanations animales dont l'origine m'échappait. Elle avait pris l'habitude de mettre un grand pot de chambre à couvercle près de la porte.

– Tu n'auras pas à traverser ce grand couloir pour aller vomir.

Elle me prenait par le menton.

– Je me demande si ton estomac est fatigué ou si tu manges en cachette.

Je n'osais pas protester. Éprouver du dégoût pour l'odeur de sa tante me paraissait une bêtise de vilain garçon.

– Qu'est-ce que tu attends ? Déshabille-toi.

Elle me poussait dans un coin de la pièce d'où je ne pouvais pas m'échapper.

– Obéis.

J'enlevais mes vêtements.

– Tu as quand même de bonnes fesses.

Elle avait mon pyjama à la main. Elle mettait du temps avant de me le tendre.

– Tu es très pudique comme enfant.

Je me couchais. Elle enlevait sa robe, son jupon. Elle était en chemise. Elle brossait interminablement ses cheveux devant le miroir de la coiffeuse. Elle reniflait, se mouchait dans un mouchoir de lin vaste comme un torchon qui rejoignait après usage le tiroir où elle l'avait pris.

Je mettais la tête sous le drap pour ne pas la voir. Il me semblait que chacun de ses gestes avait une odeur. Toutes les images que je refusais de regarder se reconstituaient dans ma tête. Il y avait aussi les bruits. Je n'ai jamais compris comment ils pouvaient faire pour s'infiltrer dans mes oreilles malgré mes doigts profondément enfoncés dedans.

– Qu'est-ce que tu fabriques là-dessous ?

Elle arrachait le drap.

– Maintenant, il faut dormir.

Elle éteignait le plafonnier. Elle se couchait, me regardait un moment à la lumière de la lampe de chevet. Elle éteignait. Je m'endormais.

Il n'y avait pas de pendule dans la chambre. Je n'ai jamais su combien de temps après elle rallumait la lampe. Une lumière chiche, tamisée par l'abat-jour jauni couvert de taches de mouche. Elle n'avait plus de chemise de nuit. Elle était assise au bord de mon lit. Je clignais des yeux sans être sûr de la voir, son image tremblotait. Je serrais fort mes paupières pour qu'elle disparaisse.

– Dors, dors.

Sa main s'insinuait. La culotte du pyjama était dénouée, baissée d'un geste sec. Je n'osais pas bouger. J'essayais de penser à la plage en me disant que je rêvais.

Mon sexe entre ses doigts comme un morceau de crayon. Une masturbation qui commençait lentement. Puis elle accélérait, elle allait de plus en plus vite.

– J'ai mal.

– Non, non, tu n'as pas mal.

– S'il te plaît, je veux plus.

Elle tirait fort sur la peau. Elle baissait la tête. Elle aspirait mon sexe. Sa bouche me tirait des cris.

La maison était vide, tout autour il y avait des arbres assez touffus pour retenir mes hurlements comme des filets, si encore ils étaient parvenus à descendre jusqu'au rez-de-chaussée et s'échapper par la fenêtre de la cuisine entrouverte.

Elle arrêtait soudain. Elle lâchait mon sexe, serrait très fort mon bras comme une barre d'appui dans un autobus cahotant. Une odeur se répandait. Alors elle me laissait sauter du lit pour aller vomir.

Il me semblait n'en plus finir. Je devais avoir un ventre immense pour mettre aussi longtemps à le vider. J'avais la tête qui tournait dès que je reprenais mon souffle.

– Tu as fini ?

Elle me tirait. Elle me donnait une tape sur le derrière. Elle claquait le couvercle.

– Dis donc, ça sent bien mauvais quand tu rends.

Je la regardais. Je devais avoir les mêmes yeux apeurés que ceux des enfants des reportages tournés dans les pays où on les loue aux touristes dégénérés.

– Qu'est-ce que tu as ? Tu veux une gifle ?

Je n'arrivais pas à bouger, ni à demander pardon.

– Dépêche-toi, retourne te coucher.

J'avais le vertige. J'avais peur de tomber.

– Arrête de faire cette tête.

Elle se radoucissait comme si ma frayeur l'attendrissait.

– Si on ne dirait pas que tu es un enfant martyr.

Elle me prenait par la main, elle chantonnait en me ramenant au lit.

– Maman, les petits bateaux qui vont sur l'eau ont-ils des jambes ? Mais oui, mon gros bêta, s'ils n'en avaient pas, ils ne marcheraient pas.

Aujourd'hui encore je suis pris de tremblements quand j'entends cette comptine. Grâce à Dieu, elle est passée de mode. Un jour viendra où on ne l'entendra plus jamais.

– Maintenant, on dort.

Elle remontait mon drap jusqu'au menton. Il me semblait qu'elle appuyait sur le sommet de ma tête comme pour m'enfoncer. Peur qu'elle ne m'enfouisse. J'avais entendu ma mère lire à haute voix un article qui racontait l'histoire d'un enterré vivant.

– Tu as fait un mauvais rêve.

Elle se recouchait. Elle éteignait la lampe en soupirant.

Le lendemain, tout recommençait. La lumière se rallumait chaque nuit. Le mois de juillet comporte trente et un jours.

Quand je rentrais le 1er août à la maison j'avais déjà oublié sa main et sa bouche. Sans savoir pourquoi je me réveillais en sursaut chaque nuit. J'appelais. Ma mère a décidé que c'était un caprice. Elle a envoyé mon père me gronder. J'ai appris à me taire. Je finissais par me rendormir en pleurnichant sans bruit.

Chaque année, je suppliais ma mère de ne pas me renvoyer là-bas.

– Tu es un enfant gâté.

– Vous vous êtes toujours laissé faire ?

– Oui.

– Vous n'en avez jamais parlé à vos parents ?

– Non.

– Pourquoi ?

– Quand j'étais avec eux, je ne me souvenais vraiment plus de rien.

– Vous auriez eu honte de vous souvenir ?

– J'ai honte encore. Vous êtes la première personne à qui j'en parle.

Je l'ai sentie émue.

– J'ai beaucoup de compassion pour cet enfant.
– Quel enfant ?
– Vous, quand chaque nuit du mois de juillet la lumière se rallumait.
– Moi ?
J'avais l'impression qu'elle m'avait montré du doigt comme si le gamin était dans mon ventre.

Je suis rentré les yeux humides. J'avais oublié que ma femme était morte. J'étais triste d'une autre tristesse. Une tristesse grise comme la façade de l'immeuble de la psychologue. Du gris qui ne sera jamais autrement que gris. Un pot de peinture grise, vous pouvez le mélanger avec des hectolitres de peinture blanche, il ne deviendra jamais blanc.

J'avais faim. J'ai mangé tout un camembert. Je l'ai attaqué à la cuillère, je l'ai avalé sans pain. J'ai eu soif. J'ai pris un verre qui traînait sur le bord de l'évier. J'ai bu toute l'eau de la ville.

Je suis allé au salon. J'ai allumé la télévision. J'ai laissé se dérouler les actualités, puis un reportage sur la police et une émission sur la sécheresse en Californie. Je me suis couché à dix-huit heures trente. J'étais triste d'une tristesse immense, infinie comme des troupeaux de vagues. Mais elles étaient paisibles, régulières et n'annonçaient pas de tempête. Des rayons de soleil passaient à travers les persiennes, le rideau les tamisait. Une lumière trouble, une impression de reposer au fond de l'eau.

Se sont ensuivies des semaines d'asthénie. Une fatigue persistante contre laquelle je ne pouvais rien. Une paralysie générale de ma volonté. Je dormais toute la journée, toute la nuit. Une fois par semaine, la femme de ménage apportait quelques courses que je devais sans doute grignoter en dormant debout. On aurait dit que j'essayais de rattraper ces heures de sommeil perdues tout au long de ma vie.

Deux mois ont passé. J'ai quitté cet état d'hibernation au moment des premières grosses chaleurs de l'été. La tristesse de la nuit persistait au réveil. Une étendue sans couleur, sans consistance, que je survolais lentement en rase-mottes. Quand je pensais à ma femme, son souvenir était moins douloureux. Il n'était pas devenu lointain, mais ce n'était plus sa mort qui perpétuellement recommençait.

En fin de matinée, je trouvais le courage de faire un tour sur le port. Je regardais les poissonniers brader leurs dernières rascasses et remballer leur étal. Je flânais le long des restaurants, des boutiques de cartes postales. Je finissais sur une terrasse où je déjeunais.

La journée avançait. Une sourde colère montait en moi. Je regrettais mon existence saccagée. Ma tante avait dû mourir depuis longtemps mais j'éprouvais un impossible désir de vengeance. J'enrageais contre mes parents disparus. Ils n'avaient pas su lire le regard perdu de cet enfant emprisonné à jamais dans chacune de ces nuits de juillet 1926, 1927, 1928, 1929. Cent vingt-quatre réveils, cent vingt-quatre agressions. Parfois les parents n'ont pas d'yeux.

Je rentrais énervé, furieux, un vieil adolescent révolté prêt à renverser le monde et tabasser l'univers. Je claquais les portes, bousculais les meubles, donnais du pied dans le poste de télévision et je ne balayais pas les morceaux quand un bibelot éclatait en tombant sur le carreau.

Cet état de révolte est devenu continuel. Tout m'exaspérait. Je haussais les épaules lorsqu'un voisin me saluait, j'engueulais les caissières du supermarché si elles tardaient à me rendre la monnaie, j'avais envie de cracher dans le landau quand une mère ralentissait la circulation des piétons en lambinant.

Lorsque mon fils me téléphonait, je répondais d'une voix acariâtre en lui reprochant de ne pas m'appeler plus souvent.

– Autant mettre les personnes âgées à la poubelle.

– À soixante ans, je vais bientôt être âgé aussi.

– Tais-toi.

– On viendra te voir dimanche.

– Tu vas encore m'amener des gosses qui courent dans tous les sens comme des cancrelats.

– Ce sont tes arrière-petits-enfants.

Je raccrochais. J'envoyais le téléphone valdinguer à tous les diables. Je n'avais plus envie de voir aucun membre de ma famille. Toutes les familles me semblaient sales.

Je passais mes journées à sortir de chez moi, à rentrer, à recommencer indéfiniment. Aucun endroit ne me convenait. Les instants étaient comme des décharges électriques. Je passais mon temps à me sauver. Il m'arrivait de me refuser à réintégrer mon domicile malgré la nuit tombée. Je m'endormais sur un banc comme un clochard.

– Vous devriez retourner sur les lieux du crime.

C'est ce que la psychologue m'a dit quand je l'ai revue. Une visite sur un coup de tête. Je passais sous ses fenêtres et j'avais sonné à l'interphone.

– Vous tombez bien, l'épouse de mon patient de quinze

heures vient d'annuler son rendez-vous pour cause de crise d'asthme.

J'avais appuyé sur le mauvais bouton, l'ascenseur m'avait déposé un étage plus bas. J'étais arrivé essoufflé d'avoir monté en fureur la volée de marches. J'avais refusé le verre d'eau qu'elle m'offrait.

– Vous avez l'air déboussolé.

– Vous croyez ?

C'est alors qu'elle m'a demandé abruptement d'aller voir sur les lieux de mon enfance si mon passé ne s'était pas envolé. Je me demandais ce que je pourrais bien aller faire sur la côte normande où je n'avais plus mis les pieds depuis le dernier de ces maudits mois de juillet.

– Plus personne ne doit se rappeler qu'elle a existé. Et si je trouvais un survivant qui s'en souvienne, il me dirait quoi ?

– Je ne sais pas.

J'ai baissé la tête. Elle a dû s'apercevoir de mon désarroi. Je regrettais d'être resté assez longtemps au monde pour avoir franchi la porte de son cabinet.

– Avant de vous connaître, toute cette histoire était tellement enfouie.

– Je suis désolée.

Elle regrettait son affaire. Elle a essayé de banaliser ce que j'avais subi.

– On a tous au fond de soi des traumatismes comme les assassins des cadavres dans leurs placards.

– Je ne suis pas un assassin. Arrêtez de me raconter n'importe quoi comme à un gamin dont on veut se moquer.

J'ai tapé du poing sur son bureau.

– Vous êtes une salope.

Je me suis levé. Je suis parti sans payer.

Mon vocabulaire devenait cru. J'employais des mots dont je ne m'étais jamais servi. Même pour désigner les parties sexuelles, j'avais toujours été très prude. J'utilisais la terminologie médicale dans les rares circonstances où je ne pouvais faire autrement que de les nommer.

J'avais injurié la femme de ménage pour un courant d'air. Elle m'avait pardonné en souvenir de mon épouse. Je couvrais mon fils de grossièretés quand il prenait son courage à bras-le-corps pour venir me voir. Je fulminais devant le poste de télévision usant d'un vocabulaire ordurier à l'endroit de tous les gens qui apparaissaient à l'image.

Le lendemain, j'ai jeté quelques affaires dans une mallette. Je me suis rendu en métro jusqu'à la gare Saint-Charles. Il restait des places sur le TGV de dix heures quinze pour Paris.

– Arrivé à Paris, il vous faudra aller à la gare Saint-Lazare pour prendre le train vers la Normandie.

L'employé a eu l'air agacé quand je lui ai demandé si je trouverais facilement une chambre d'hôtel sur place.

– Je n'en sais rien.

Il m'a donné mon billet. Il me restait du temps. Je suis allé boire un café.

Je m'enfuyais, comme je m'étais enfui de Rouen en 1944, après que mes parents étaient morts ensevelis sous les briques de leur maison durant un bombardement des forces alliées.

J'avais vingt-cinq ans, une âme de conquérant qui abandonne son village massacré par les barbares pour aller fonder une nouvelle civilisation de l'autre côté de l'océan. J'avais échoué à Marseille et trouvé du travail dans une imprimerie du cours Belsunce dont j'étais devenu directeur bien des années plus tard.

Quand on est jeune, on s'emballe pour oublier ses malheurs. En grimpant dans le train pour Paris je n'avais pas le même enthousiasme qu'autrefois.

Je suis arrivé à Trouville à dix-sept heures. Je n'ai pas reconnu la gare. Il faisait beau. J'ai marché jusqu'à la plage. Je ne l'aurais pas reconnue non plus mais je me suis rappelé l'avoir vue quelque temps plus tôt dans une émission sur les maillots de bain. Celle de mon enfance devait lui ressembler, mais ce n'était pas elle dont je me souvenais.

J'ai tergiversé un peu au bord de l'eau. Je suis revenu sur mes pas. Il y avait un hôtel à gauche, là où finissait la longue rangée des cabines. J'ai traversé le grand hall aux murs lambrissés d'acajou. J'ai demandé une chambre.

– Vue sur mer ?

– Oui.

Je me suis retrouvé au troisième étage. Un lit où l'on aurait pu coucher une famille entière. Une salle de bains de marbre rose. Une terrasse. On entendait quelques cris d'oiseaux et ceux qu'un gamin poussait en entrant dans l'eau glacée.

J'ai ouvert le minibar. J'ai bu une bière face à la mer. J'ai pensé à ma femme rangée paisiblement dans la tombe. Ma vie était en ordre, une bourgade tranquille avec son cimetière et ses habitants qui travaillent et font des petits.

J'ai appelé mon fils. Je lui ai dit que j'étais en voyage.

– Mais où tu es parti ?

Ma voix calme devait l'inquiéter après toute cette colère qu'il avait essuyée ces derniers temps.

– Je suis à Trouville.

– Mais pourquoi là-bas ?

– Ne t'inquiète pas.

– Tu vas bien ?

– On se verra dimanche prochain.

J'ai raccroché. Il m'a rappelé. J'ai raccroché. Il s'est lassé.

Je suis descendu dîner. Il était tôt. La salle du restaurant était vide. J'ai commandé une sole et un pichet de vin blanc. Après avoir siroté un calvados je suis remonté à la chambre.

J'ai allumé la télévision. En payant, on pouvait voir des films pornographiques. J'ai ri tout seul. Je trouvais curieux qu'un hôtel honorable ose proposer à ses clients ce genre de spectacle.

J'ai pris un bain. Je me suis couché. J'avais dormi pendant tout le voyage mais j'ai sombré quand même dans un profond sommeil dont je n'ai émergé qu'à huit heures.

Un ciel barbouillé, du crachin, une température assez douce. On m'a apporté le petit déjeuner.

– Posez-le sur la table de la terrasse.

– Monsieur, il pleut.

– Baissez le store.

J'ai mangé les trois croissants devant la mer. La vie me convenait. Je me suis fait monter un pot de café supplémentaire.

Maintenant je me souvenais du paysage et de la maison de ma tante posée sur une dune comme un gâteau sur un présentoir. Elle était proche. J'y suis allé en me promenant.

Elle avait disparu. On n'avait rien construit à la place. On aurait dit qu'on l'avait juste détruite pour qu'elle disparaisse, qu'on l'avait exécutée comme un humain qui aurait failli. Pas de vestiges, aucune trace des fondations, on l'avait arrachée avec ses racines.

Le sable herbeux, la dune. Le paysage n'en gardait aucun souvenir. Je me demandais pourquoi ma mémoire n'avait pas eu la chance de s'effondrer avec les murs de la maison, laissant des gravats à tout jamais indéchiffrables. Cette idée me réjouissait. Un passé qu'il suffirait de laminer d'un coup de bulldozer. Des morceaux de vie remplacés par des lopins de lande.

Je me suis assis sur une pierre. Plus de crachin, le soleil clignait derrière les nuages blancs pressés de rejoindre l'intérieur des terres. La maison avait existé autour de moi. J'étais peut-être à l'emplacement de la salle à manger aux fenêtres à petits carreaux, au grand buffet brun comme le cigare qu'elle fumait chaque soir dans la véranda en se rengorgeant à l'idée de la cérémonie nocturne dont j'allais être l'animal immolé.

Je n'avais pas peur, je regardais les mouettes. Je me suis demandé combien d'années elles vivaient, quel était leur degré de parenté avec celles que j'avais connues dans mon enfance.

J'ai marché sur la grève. J'ai rejoint la ville. Je me souvenais du cimetière où elle m'emmenait parfois marmonner une prière devant le caveau où reposait le vieux cousin qui l'avait adoptée à la mort de ses parents. Probablement une crapule qui s'en était servie. Lui-même issu d'une lignée de gredins qui s'étaient passé le relais de génération en génération. J'étais leur dernière proie. J'avais arrêté le massacre. Jamais ne m'était venu un pareil désir.

La rue du Manoir m'a semblé longue. Le cimetière était au bout. Il regardait la mer. Même si la mer était loin, même si des maisons lui en cachaient la vue. Les tombes étaient plus nombreuses encore qu'autrefois où elles me paraissaient pourtant innombrables. Les cadavres s'accumulent avec le temps. Je me suis perdu au milieu des travées.

J'ai fini par tomber sur le mausolée en suivant machinalement un cortège. Elle ne s'était pas reproduite, personne ne s'était soucié de l'entretenir, il était en mauvais état. Du bout du pied, j'ai repoussé une partie des cailloux et des feuilles pourries qui s'étaient accumulés sur la dalle au cours des automnes.

La photo du cousin m'a regardé d'un œil du fond de sa porcelaine. L'autre moitié du visage manquait. Aucune image de ma tante, une inscription usée. Quand on le connaissait, on devinait son prénom. Sous les fientes laissées par les mouettes, on pouvait voir qu'elle était née et morte au XXe siècle. On aurait dit que la pierre avait poussé comme de la mauvaise herbe pour effacer les décennies et les ans.

En tout cas, elle était bien morte. Elle n'aurait jamais l'âge de cent sept ans qu'elle aurait atteint cette année-là si elle avait survécu. J'aurais peut-être été heureux de pouvoir l'étrangler de mes mains.

Qu'on soit jeune ou vieux, les années passent. On se demande si elles ne vont pas continuer à défiler jusqu'à ce que l'on devienne assez sénile pour ne plus pouvoir les compter.

Ma famille dit de moi que je mène toujours ma petite vie. Je sors encore, mais le plus souvent au bras du jeune Philippin qui prépare mes repas et m'aide chaque soir à me coucher. Je m'endors tout de suite. Je ne me réveille pas avant l'aube. Je sais que plus personne ne rallumera jamais la lumière.

Dans ma tête, les époques se bousculent. Je ne me pardonnerai jamais d'avoir été sa victime. Je me sens toujours coupable de ne pas lui avoir arraché ce petit garçon chaque nuit profané. Comme un ange gardien, l'adulte a le devoir de veiller sur l'enfant qu'il était. Pensée absurde qui me poursuit comme un remords.

Le pollen du bonheur

Bientôt, on ne respectera plus que les bébés. Ce sera notre idéal de n'avoir pas vécu. Pareils aux objets technologiques dont le meilleur sera toujours celui qu'on mettra en vente à la fin du siècle prochain, on sera périmé avant même de pouvoir se tenir debout.

Dès l'adolescence, on est frappé par l'obsolescence. À quinze ans, on est déjà un exemplaire humain dont en cas de malheur on pleurera moins la perte qu'un modèle tout neuf encore à la mamelle. Quand un avion s'abîme dans l'Atlantique, on isole les gamins du nombre des victimes pour les plaindre séparément à la folie, jamais les vieillards que dans quelques années on aura le cynisme de défalquer.

Je passerais volontiers mes dernières années au fin fond de la préhistoire. Je n'aime pas cette époque à l'accélération asymptotique qui asservit une population humiliée dès potron-minet par le travail, la tentation inassouvie, la peur de ne pas exister suffisamment, de ne pas accumuler assez de jouissance, de ne pas le jour venu mourir épanouie, fleur de chair dont les insectes nécrophages seront les abeilles.

Le pistil de la sexualité, le parfum de la réussite, le pollen du bonheur, poudre d'or, semence dans le vent afin que se dissémine cette mauvaise plaisanterie, cette existence sublime, cette tentative d'avoir été. On sera si enivré d'avoir à ce point vécu que la mort ne sera plus qu'un cerf-volant sous le regard des mioches qui prendront pour un jouet notre âme flottant entre les nuages prête à basculer de l'autre côté de la ligne d'horizon.

La poésie me monte à la tête. Un mauvais alcool de bois dont on fait des vers sans rimes et sans plus de pieds que n'en dispose un poisson en carafe au milieu d'un champ de maïs pour courir jusqu'à l'étang salvateur.

N'empêche, je refuse de me prosterner devant ces jeunes lisses et soumis prêts à subir toutes les humiliations pour mériter le privilège de demeurer des clients terrorisés à la pensée d'être exclus du grand supermarché où ils erreront le reste de leur existence panier au bras, la honte au cœur de se retrouver toujours en retard d'un voyage, d'une maison de marbre rose donnant sur la lagune, d'un achat, cette petite joie, ce frisson du tête-à-tête avec une matière nouvellement agencée pourvue de fonctions pour la première fois incarnées sous cette carapace étincelante à étoiler les yeux et transformer le ciel de sa conscience en maquette de la Voie lactée.

Je suis encore très vivante, même si je suis pâle, maigre, même si mes cernes adhèrent au fond des orbites. Je n'ai que soixante-trois ans, mais par solidarité je préfère me ranger dès à présent du côté des anciens, des dépassés, des épaves.

J'ai été une petite chrétienne, puis une jeune marxiste. Je faisais partie de ces étudiants qui ont pris le Paris de Mai 1968 pour une planète vierge créée par un dieu gentil, gouvernée par un dictateur en peluche, pour un satellite à eux offert par un Einstein qui à force de découvrir la relativité pouvait bien leur avoir en passant décroché la Lune.

Des enfants gâtés mal embouchés, gourmands de saccages, scandalisés de se retrouver face à d'authentiques prolétaires armés de matraques qui étaient entrés dans la police pour échapper à l'usine. Ils les couvraient d'injures, de pavés, avec la même arrogance dont ils faisaient preuve jadis quand ils traitaient la bonne de courge en la bombardant de vieux croûtons et de grenouilles.

J'étais sûre que nous avions découvert le bonheur et que nous allions le répandre dans l'univers comme une bienfaisante bactérie. Une épidémie joyeuse dont bénéficieraient toutes les galaxies au fur et à mesure de notre conquête de l'espace. Nous hurlions des slogans volés à Rimbaud et aux surréalistes comme si nos postillons multicolores allaient s'envoler et suivre les vents alizés jusqu'en Afrique où ils feraient surgir des sources d'eau fraîche et des palmeraies.

Nous nous dépucelions les uns les autres dans la grande salle du théâtre de l'Odéon dont on avait la faiblesse de ne pas nous avoir encore délogés. Nous prenions cette grosse partouze pour l'invention du cul. La trentaine nous a matés.

À trente ans, j'avais déjà raté ma vie. J'étais déboussolée. Je rêvais de peupler la terre de petits rouges qui finiraient commissaires du peuple. Je faisais des enfants de père inconnu. J'étais fière de sortir seule de la maternité avec mon couffin en osier où un bébé piaillait. Je me cloîtrais avec lui pendant trois mois, le nourrissant de mon lait comme on élève un veau sous la mère.

Après avoir accompli mon devoir de bestiau, j'allais le porter chez mes parents afin qu'il paisse dans leur jardin avec ses cadets sous la surveillance de la nurse allemande qu'ils avaient engagée plusieurs semaines avant ma première ponte.

J'avais démarché en vain l'ambassade d'URSS pour essayer de les faire adopter par le parti communiste soviétique quand ils auraient atteint l'âge de raison. Escaladant le mur de la propriété paternelle, une nuit de juin 1977 j'avais enlevé mon aîné pour aller l'offrir à Fidel Castro à Santiago de Cuba. J'ai bravé une haie de guérilleros pour l'approcher un matin qu'il visitait une plantation de canne à sucre. En guise d'entrée en matière, je lui ai demandé de le bénir.

– *No soy el papa.*

– *Me gustaría que la Revolución lo adopte.*

– *¿ Qué quieres que haga con él ?*

J'ai battu en retraite sous les quolibets de sa garde. Mon père m'attendait à Orly. Il m'a giflée sous les yeux du gamin qu'il a emporté sous son bras comme un colis. Malgré ces déconvenues, j'ai continué à me reproduire. Je pense maintenant que je recherchais surtout l'état d'euphorie dans lequel me plongeait la grossesse mieux qu'aucun psychotrope.

J'avais la manie de n'engendrer que des garçons. En l'absence de géniteur déclaré ils portaient mon nom. Mon père ne se plaignait pas d'engranger de la sorte assez d'héritiers pour que même après un massacre thermonucléaire il lui en reste au moins la moitié d'un pour diriger sa banque.

– Une tête et une main suffisent pour présider une société.

– Mes enfants seront trotskistes.

Ils n'ont pas été assez doués pour faire Polytechnique comme leur grand-père. Il les a expédiés à grands frais aux États-Unis afin qu'ils étudient dans une université de Pennsylvanie. Ils sont revenus trois ans plus tard avec un diplôme sans valeur et une grande photo où on les voyait recevoir leur parchemin coiffés de ce chapeau carré ridicule dont aujourd'hui encore ils sont assez fiers pour le mettre en exposition sur leur bureau à côté du Bottin mondain où ils sont entrés par pis-aller faute de pouvoir intégrer le *Who's who* malgré les titres ronflants qu'ils se sont fait attribuer par le conseil d'administration de notre fameuse banque fondée par un ancêtre lombard en 1898.

Nous nous rencontrons chaque Noël chez mes parents devant le sapin.

– Vous êtes la honte de ma vie.

Ils rient méchamment.

Mon troisième fils est plus proche de moi que les sept autres si lointains. Du temps où je me portais bien nous déjeunions ensemble chaque semaine. Il n'a jamais réussi à parler assez bien l'anglais pour qu'une université américaine consente à lui délivrer le moindre diplôme. Son grand-père a dû soudoyer un institut privé du Guatemala pour qu'il obtienne un doctorat en économie dont le parchemin très coloré comporte en filigrane le portrait d'Adam Smith.

Il siège avec ses frères. Il n'a pas de fonction parti-culière, mais les jetons de présence lui permettent de traîner la savate sans se soucier du lendemain. Ma famille le considère comme encore plus raté que le reste de ma portée. Moi, je le trouve sympathique et je l'aime.

J'aurais dû garder son père comme époux. Ils ont les mêmes yeux noirs, les mêmes longs doigts agiles. J'ai essayé de le retrouver, mais je ne connais que son pseudonyme de rocker jamais signé par une maison de disques. Internet ne comporte aucune trace de lui. Certains en déduiraient qu'il n'a jamais existé. En tout cas, dans mes bras son fils a la consistance des vivants.

Le 3 décembre 1982, j'ai voulu fêter mon anniversaire pour la première fois de ma vie adulte. Je n'ai pu rassembler qu'une dizaine de personnes. D'anciens maoïstes des deux sexes qui avaient jeté leur drapeau rouge aux orties et votaient à droite par nostalgie de l'oppression qui régnait là-bas pendant la Révolution culturelle.

Dès l'élection de François Mitterrand, ils s'étaient parallèlement encartés chez les socialistes. Ils obtenaient ainsi des marchés, des subventions, des pages de publicité payées dix fois leur valeur pour soutenir leur magazine mal géré où ils faisaient l'éloge des affairistes qui la nuit tombée rappliquaient en frétillant à l'Élysée faire leur cour au Président dont ils tentaient d'obtenir la protection quand leurs montages financiers menaçaient ruine et risquaient de les envoyer à Fleury-Mérogis.

Cette année-là mon anniversaire tombait un vendredi. Ils arrivaient de leur bureau en tailleur, costume de flanelle et cravate club. Ils parlaient de Bourse, d'investissements locatifs.

– Vous avez oublié le prolétariat.
– On est bien obligés de croûter.
– Vous êtes des dégueulasses.

– Tout le monde ne va pas hériter d'une banque.

– Je donnerai tout ce fric à Andreas Baader.

– Il y a cinq ans qu'il est mort, ce pauvre con.

Depuis, je le pleurais comme un frère.

– Même s'il n'est plus vivant, Baader ne sera jamais mort.

Devait exister quelque part en Allemagne une cathédrale dont il était le crucifié, parsemée de troncs où les fervents des bains de sang pouvaient venir déposer leur obole afin d'aider ses disciples à perpétuer ses crimes.

En tout cas, pauvre anniversaire. Mes invités n'ont pas attendu que je les mette dehors. Ils ont posé leur verre avant de l'avoir bu. Ils ont pris congé de moi d'une de ces tapes dans le dos dont un goujat flatte en partant une pauvre dame avec qui il vient de rompre.

J'ai entamé la nuit même une longue dépression. Mes parents craignaient un suicide qui aurait marqué du sceau du scandale mes fils en cours de formatage. Ils m'ont fait voyager en ambulance, en voiture, en wagon-lit, par la voie des airs, traverser une bonne partie des pays de l'Europe occidentale à la recherche d'un hôpital fabuleux, d'une clinique miraculeuse, d'un solarium d'altitude où l'on fait fondre la mélancolie sous les rayons du crépuscule. Chaque médecin avait son laboratoire pharmaceutique de prédilection, ses électrodes favorites, son propre freudisme, son lacanisme réformé ou même son eau de source radioactive dont une infirmière m'arrosait avec une lance comme si j'avais été un feu de forêt.

Dix-huit mois avaient passé. De guerre lasse, mon père avait accepté de me laisser réintégrer mon domicile. Je passais mes journées derrière la fenêtre de ma chambre à regarder la rue. Une rue piétonne sans commerce où les piétons passaient peu. Les heures s'écoulaient si lentement qu'on les aurait crues rares et le futur semblait lointain.

J'avais cessé de me soigner et pourtant un matin je me suis réveillée guérie. On aurait dit qu'on avait rechargé la batterie de mon cerveau dans la nuit. Ce n'était pas le bonheur, mais j'avais à présent assez d'énergie pour soulever et tenir à bout de bras la dalle d'angoisse qui la veille encore m'écrasait.

Je suis sortie.

Une matinée claire, pas de soleil. Une lumière abondante et froide d'atelier de peinture orienté plein nord. J'ai traversé Paris comme une terre étrangère. Depuis mon enfance beaucoup de générations étaient tombées, d'autres les avaient remplacées. À trente-deux ans, ma jeunesse était déjà d'hier.

Quand la nuit est tombée, la ville était dans mon dos. J'ai compris que j'avais beaucoup marché. Je suis revenue sur mes pas en gardant la tour Eiffel en point de mire. Puis je suis rentrée chez moi en métro. Le frigo était débranché. Il restait des pâtes dans le placard. Je me suis nourrie avidement. Je me suis étendue sur le lit. J'ai été surprise de me réveiller au petit jour après avoir dormi d'une traite toute la nuit.

J'ai passé la journée à jeter de vieux vêtements, à laver l'appartement à grande eau comme une voiture. Je n'ai pas eu le cœur de vider l'armoire du couloir pleine d'années de tracts et de journaux vantant le prolétaire et l'insurrection. Je l'ai poussée vers l'ascenseur, puis sur le trottoir où elle a basculé tête la première et s'est esclaffée dans le caniveau. Je suis remontée sans prendre le temps de regarder tout ce papier baver son encre jusqu'à son dernier caractère.

Je me suis préparé une tasse de thé. Je me suis assise au salon. J'ai posé le téléphone sur mes genoux. Un appareil lourd, vert amande, comportant une roue percée de trous destinée à composer les numéros à la force du poignet avec sur le dessus un accessoire en forme de banane qu'on appelait le combiné. Un objet que l'on peut voir fonctionner dans les films d'avant-hier.

Je voulais appeler quelqu'un. Je feuilletais mon répertoire pareil à un interminable menu de restaurant chinois dont aucun plat ne m'aurait tentée. J'ai appelé chez mes parents. La nurse m'a passé les enfants.

Ma voix n'avait plus pénétré leurs oreilles depuis longtemps. Craignant que ma dépression ne les contamine comme une grippe, mon père m'avait interdit d'entrer en contact avec eux.

La nurse a dû baver. Une heure après, papa est venu en personne me morigéner.

– Tu n'aurais jamais dû.

– Je crois que je vais mieux.

– Tu sais très bien que d'après le psychiatre de Genève tu es une mélancolique qui va entrer peu à peu dans la grande nuit de la schizophrénie.

Un diagnostic erroné. Mon dédoublement de personnalité se fait attendre et depuis que je suis si malade ma mélancolie s'est évaporée.

– Viens plutôt les voir dimanche, au moins je serai là pour les rassurer.

– Ils n'avaient pas l'air inquiets. Je crois qu'ils ne m'ont même pas reconnue.

– Je m'arrange toujours pour qu'ils aient une photo

récente de toi dans leur chambre. Il leur est nécessaire de savoir que tu existes. Nous n'avons aucune envie qu'ils contractent le syndrome de l'enfant trouvé.

– Ils ont oublié ma voix.

– La voix de ta mère et la mienne leur suffisent. Ils se développent parfaitement dans l'environnement affectueux que nous avons eu soin de mettre en place.

– En tout cas, je vais mieux.

– C'est une rémission passagère. Il faudra t'habituer à l'idée que tes facultés intellectuelles régressent dans les années qui viennent. Nous avons prévu de te prendre à la maison quand tu auras perdu la tête.

– Je n'ai aucune envie de vivre avec vous.

– Les travaux ont commencé. Tu habiteras l'ancienne bergerie. Une haute palissade, des baies que de mémoire de vitrier aucun coup de tête n'a jamais entamées.

J'aurais préféré qu'il me parle avec plus d'affection, même si je lui avais dit un jour que les bons sentiments des banquiers me faisaient gerber.

Les années tombent. À partir de quarante ans, on dirait un bombardement. J'avais accouché pour la dernière fois à quarante-huit ans. Un désastre. Depuis, une cicatrice de césarienne me balafre le ventre et je porte au cou la marque d'une trachéotomie. Un enfant mort-né. Une fille dont mon père s'est aisément passé.

La reproduction m'avait longtemps occupée, une louable activité que les natalistes portent aux nues. À présent, je ne pouvais plus espérer un jour recommencer. Désormais ma vie ne contenait plus rien. Je l'aurais volontiers meublée d'un homme. Mais je plaisais moins.

Je me souviens attendrie du court règne de Georges

Pompidou, quand les hommes me consommaient comme une poignée de cacahuètes. Je couchais avec eux par goût, mais parfois simplement parce qu'ils me le demandaient. Si j'avais traîné des pieds, ils m'auraient glissé dans l'oreille que décidément je n'étais pas une femme libérée.

Sans attendre qu'ils en viennent à cette extrémité, j'avais déjà quitté mon blue-jean que les gauchistes portaient sale pour lui donner un air de famille avec le bleu de travail taché de cambouis de l'ouvrier. Ils n'avaient plus qu'à fourrager dans ma culotte empestant l'odeur de pharmacie de ces lessives aux enzymes qui ont tout à fait disparu aujourd'hui.

Les hommes se succédaient, se croisaient, se retrouvaient dans mon lit, discutant de part et d'autre de mon corps, finissant à l'occasion la nuit l'un sur l'autre.

Beaucoup auraient aimé partager ma vie ou même endosser à tout hasard la paternité d'un de mes gosses dont ils auraient pu s'imaginer être père. Je les laissais s'en aller après avoir fait tous mes efforts pour ne pas les aimer. Je craignais de m'attacher, comme disent les gens qui refusent d'adopter un animal de compagnie.

En 2005, j'ai décidé de ne plus faire l'amour. Je ne pouvais supporter l'idée qu'un jour plus personne ne veuille de moi sous sa couette. La masturbation ne m'a jamais plu. J'ai oublié l'orgasme. Avec un peu de volonté, on se passe de tout.

Je serai bientôt à la retraite. Pour une femme qui n'a jamais travaillé de sa vie, c'est cocasse. Mon père avait pris la précaution de créer pour moi un emploi fictif dès 1971.

– Au moins, tu seras couverte en cas de maladie.

– Je ne suis jamais malade.

– Ça viendra.

Ces derniers temps la maladie m'occupe beaucoup. Une petite tumeur au fond du larynx que j'ai gagnée à la tombola du cancer en fumant deux paquets par jour pendant quarante-cinq ans. Depuis qu'on m'a opérée ma voix est gutturale et les chimios m'ont faite sylphide.

Les séjours à l'hôpital me rassurent. Ils me rappellent mes nombreux passages dans les maternités. En faisant des enfants je jouais un rôle dans la société. Celui de mère est honorable. Ce n'est pas de l'oisiveté que d'accoucher, de langer, d'allaiter, de passer ses nuits et ses jours à ne pouvoir dormir. Lorsque j'avais arrêté de me reproduire, j'avais rejoint le camp des parasites.

Le cancer m'a rendu ma dignité. La souffrance est estimée, tant chacun en redoute les crocs. Les malades ont droit au farniente. Arguant de leur absence de rentabilité, il ne viendrait à l'idée de personne de chipoter leur gamelle. D'ailleurs qui sait si dévaler la pente ne peut pas être considéré comme une sorte de travail. Et la mort qui licencie à tour de bras.

Une épouse tombée du ciel

Je suis un vieillard à peine vivant de quatre-vingt-cinq ans. Chacun de mes instants dure aussi longtemps que ceux d'un fœtus ou d'un adolescent. Mon passé ne pèse rien, en vous le racontant il s'effacera au fur et à mesure. La vieillesse est propice à l'insouciance. Pas de travail, des enfants à la retraite ou déjà morts, des petits-enfants insérés dans un milieu professionnel où ils font carrière. Un arrière-petit-fils, un lien de parenté lointain, distendu, une longue laisse avec à l'autre extrémité un chiot perdu de vue gambadant vers les décennies qui lui sont dévolues.

Ma femme est plus vivante que moi, mais vieillir l'angoisse.

– Chaque anniversaire est une défaite.

Les cliniques de chirurgie esthétique sont ses résidences secondaires, son épiderme est gorgé de Botox.

Je l'aime. Je suis le seul à la voir toujours intacte et belle, pareille à la jeune fille qu'elle était encore dans la nuit du 13 au 14 janvier 1953 quand elle m'est tombée du ciel.

Je suis médecin. Je n'exerce plus depuis longtemps. Comme tous mes confrères, j'ai parfois causé la mort de patients par manque d'intuition. Certaines maladies

115

savent se dissimuler, se camoufler comme des caméléons en prenant l'apparence d'un nodule bénin, d'une toux saisonnière ou d'un essoufflement naturel chez un sujet sédentaire. Elles se tapissent dans un organe et soudain bondissent, remplies d'une énergie dérobée à l'organisme à qui elle manquera pour contre-attaquer.

Je n'oublierai jamais cette matinée pluvieuse où j'ai examiné un enfant de douze ans qui se plaignait de vertiges et de maux de tête.

– Tu ferais mieux de t'occuper de tes études plutôt que toujours te chercher une puce pour te gratter.

Sa mère a renchéri.

– Tu ne fous plus rien, si ça continue tu vas finir par redoubler.

– Je vais te faire une ordonnance de vitamines contre la paresse.

Une poudre de perlimpinpin que je prescrivais aux hypocondriaques afin qu'ils ne rentrent pas chez eux la queue basse comme si je leur avais refusé une friandise.

– Et je ne veux plus entendre parler de tes vertiges.

Une tumeur au cerveau, opérée précipitamment trois semaines plus tard. Il ne s'est pas réveillé. Ses parents ne m'ont pas intenté de procès, mais j'ai quitté Nancy. Je n'osais plus faire la moindre course en ville de peur de les croiser.

Je me suis installé à Paris. Les enfants sont allés à Louis-le-Grand. J'ai repris la patientèle d'un confrère qui s'en allait exercer sous le soleil des Antilles. Je prescrivais désormais tant d'examens sanguins et de radios de contrôle que la Sécurité sociale m'accusait d'aggraver son déficit. J'ai eu de nombreuses prises de bec avec de jeunes cons devenus fonctionnaires sitôt leur doctorat empoché.

Ils me prenaient de haut.

– Avec tous les rayons X que vous leur envoyez dans le thorax, vous aller finir par les irradier.

Je tentais de les convaincre qu'un dépistage précoce valait largement la peine de courir un risque aussi ténu.

– Faire des mammographies à partir de l'âge de dix-huit ans ne sert rigoureusement à rien.

– Le mois dernier j'ai évité l'ablation à une fille de vingt-six ans.

– C'est un cas exceptionnel, ce n'est pas rentable.

Malgré la prévention, mes malades mouraient autant que ceux des autres praticiens. Je me reprochais chacun de leurs décès. J'en arrivais à me sentir soulagé quand j'apprenais que l'un d'eux était mort dans un accident.

À quarante-huit ans, j'ai baissé les bras. Ce métier m'apparaissait sinistre. Chaque jour en arrivant à mon cabinet j'avais l'impression d'ouvrir la porte d'une anti-chambre de la morgue.

J'avais hérité de mon père une sorte de fortune. J'ai pu interrompre ma carrière sans compromettre ma vie matérielle. Je m'ennuyais, mais je tenais bon. J'ai connu la mélancolie du désœuvré qui passe ses journées au club de tennis à parler avec des dirigeants de société retirés des affaires, à des épouses de nantis qui cherchent à vous soutirer une consultation sauvage pour prendre en faute l'armada de spécialistes qu'elles consultent pour passer le temps.

Je refusais catégoriquement leurs avances.

– Si je vous donnais la liste de tous les macchabées

qui sont passés entre mes mains de leur vivant, vous auriez froid dans le dos.

Elles frissonnaient. Le bruit a couru qu'on m'avait rayé du conseil de l'Ordre à la suite de négligences dont les croquemorts avaient fait leurs choux gras.

– Les pompes funèbres l'appelaient le fournisseur.

– Il aurait voulu devenir médecin légiste, mais il a raté le concours.

– Il possède des actions dans une entreprise de thanatopraxie.

– D'ailleurs, il a toujours bonne mine. On dirait qu'il se fait embaumer tous les matins.

– Plaisanterie mise à part, un de ses enfants est mort à sept ans. Il n'a pas tenu bien longtemps pour un fils de docteur.

C'était une calomnie. Au lieu de faire défiler ma progéniture dans le club-house pour qu'on puisse la pincer afin de s'assurer de sa vivacité, j'ai abandonné le tennis. Du reste, je n'en pouvais plus de prendre mon pouls après chaque service de crainte que mon cœur ne lâche.

Je n'avais plus à me soucier de la mort des autres. Je me préoccupais de la mienne. Deux fois par an, je séjournais à l'Hôpital américain pour y subir un bilan de santé exhaustif. Dans mon dos, les infirmières se gaussaient de ma couardise.

Je me faisais scanner à longueur d'année. J'aurais aimé avoir un écran dans chaque pièce pour pouvoir surveiller mes organes continuellement, comme on donne un coup d'œil à une mèche rebelle dans un miroir.

J'avais remplacé le tennis par la course à pied, qui a le mérite de dynamiser en douceur la pompe cardiaque.

Je n'aimais pas les jeux de société, je m'endormais au cinéma, je ne lisais rien, la gastronomie m'effrayait car les plats les plus goûteux ne sont que sucres et graisses saturées. Je m'ennuyais. La peur de la mort était mon seul loisir.

Je n'étais pas gai. Lors des repas de famille, je refusais de trinquer. Quand une migraine me plombait la tête, je ne m'accordais pas d'analgésiques par peur de provoquer des hémorragies stomacales et de fatiguer mon foie. Je serrais les dents, avec mon crâne comme un brodequin médiéval qui comprimait le cerveau à le réduire en crème.

Ma femme m'a demandé un jour de rhume où je restais au lit de crainte d'aggraver mon état en prenant le risque d'affronter un vent coulis, si une mort immédiate ne serait pas le meilleur remède à ma terrifiante angoisse de mourir.

— Dans un cercueil, on ne tombe jamais malade.

— Ne ris pas de la mort.

— Au moins, tu n'aurais plus peur de rien.

J'ai tenté une plaisanterie.

— Je n'ai pas peur, je guette. Ils rôdent les microbes, les virus, les lupus.

— Ce n'est pas une vie.

— Je suis une sentinelle.

— Tu es devenu dingue.

— Pourquoi ?

Elle a soupiré. Elle s'est dirigée vers la fenêtre. Le soleil se couchait sur le Jardin des plantes.

— Je ne me lasserai jamais de ce spectacle.

— De quoi tu parles ?

— Les allées deviennent dorées entre les arbres noirs.

119

– Les arbres ?

Je me suis tourné du côté de la porte. Entendre parler des végétaux m'était insupportable. Je pensais aussitôt aux fleurs fanées des couronnes.

Les enfants avaient grandi. La maison s'était vidée. Les jeunes préfèrent vivre seuls dans un studio ou tomber amoureux pour partager un deux pièces.

Ma femme aurait aimé que nous recevions des amis le week-end. Des gens dont je n'aurais rien fait et qui en guise de cadeau m'auraient offert leurs bactéries. Je n'osais pas lui dire non.

– Invite-les si tu veux.

– Tu n'as pas l'air chaud.

– C'est normal d'entretenir une amitié.

– On dirait que tu parles d'une voiture.

– Dîner avec ces gens m'excite encore moins qu'une vidange.

– Je renonce.

J'évitais de rencontrer les amis d'autrefois. Je ne voulais pas retourner dans le passé. Un passé qui m'aurait fait grise mine, tous ces visages éclatants au fond de ma mémoire que j'aurais eu du mal à superposer à ceux d'aujourd'hui dégradés par les années. Ce genre de confrontation m'effrayait comme un mauvais voyage. Au retour, on se demande s'il reste encore beaucoup de kilomètres avant de se prendre le mur.

Un jour, ma femme est venue me déranger dans mon bureau où je prenais mélancoliquement ma tension.

– Si on allait au restaurant ?

– On sera drôlement avancés.

120

– Il faut bien qu'on sorte un peu.

– Sors si tu veux. Moi, je n'ai pas de temps à perdre.

Elle s'est énervée pour la première fois de notre vie.

– Du temps ? Il te manque du temps ? Mais du temps on en a trop. Il y en a plein nos journées, plein les pièces et chaque matin on dirait qu'on nous en a encore livré dans la nuit. On est inondés de temps, il nous faudra bientôt une barque pour pouvoir circuler dans cette foutue baraque. Le temps ? On passe notre vie à le stocker, tu veux qu'on loue un entrepôt ? Qu'on l'envoie par pipeline à l'autre bout du monde pour que les éléphants s'en aspergent ?

– Il risquerait de s'abîmer en route.

– S'abîmer ? S'abîmer ? Tu voudrais peut-être le congeler ? Le déshydrater ? Le sucrer ? Le faire cuire ? En remplir des pots à confiture ?

Je ne l'avais jamais vue dans un état pareil. Elle tournait autour de moi comme une voiture téléguidée. Son excitation me laissait indifférent, mais j'étais bouleversé par ce que je venais de découvrir.

– Il s'abîmera quand même.

Elle a cru que je me moquais. Elle a éclaté en sanglots. Elle a disparu dans le couloir.

– Il s'abîmera, il est déjà pourri.

J'ai répété cette phrase tristement. J'ai arraché le tensiomètre de mon bras. J'ai jeté le stéthoscope sur le tapis. Je me suis mis à pleurer sur moi.

À travers le bruit des sanglots, j'entendais ma femme rouler dans l'appartement comme un bolide, bousculant, cassant, pulvérisant tout sur son passage avec la rage d'un Attila.

Elle a ouvert la porte. Elle a pris l'ascenseur. Elle a traversé le hall d'entrée en se cognant bruyamment aux boîtes aux lettres. Elle est sortie.

En 1953, j'avais vingt-neuf ans. J'étais un jeune médecin flambant neuf. Je refusais d'ouvrir un cabinet. Je rêvais d'aventure. Je serais bien devenu médecin militaire, mais on m'aurait envoyé en Indochine où je me serais fait trouer la peau dans la brousse.

Dans les années 1950, à part les enfants personne ne rêvait de devenir pompier. On ne trouvait guère de médecin assez demeuré pour accepter de se laisser roussir pour une paie de brancardier. On voyait des annonces de recrutement dans toutes les administrations. Une réclame dans le goût de l'époque. Une maison en flammes et un caducée en trombe d'eau. J'ai préféré devenir soldat du feu plutôt qu'être torturé par les Viets.

En fait d'héroïsme, les trois premières semaines j'ai fait la tournée des accidentés. Les voitures s'envoyaient beaucoup plus en l'air qu'aujourd'hui et les conduites en état d'ivresse servaient d'excuse aux conducteurs quand ils avaient provoqué la mort de quelqu'un. Il y avait aussi quelques cheminées qui prenaient feu et les propriétaires de chats qui avaient recours à nos services quand leur bête avait trop le vertige pour redescendre du toit où elle s'était perchée et qui auraient voulu que je lui fasse un fond d'œil après l'avoir déjuchée.

Je n'étais pas un play-boy. J'avais eu quelques liaisons avec des femmes plus âgées que moi. Avant la pilule, pour avoir des relations sexuelles avec une jeune fille de bonne famille il était d'usage de l'épouser avant, ou alors on se mariait rondement avant qu'elle ne puisse plus camoufler son ventre bombé sous le satin de sa robe blanche.

Je vivais seul place Saint-Sulpice. Je passais mes jours de liberté à regarder les passantes à la terrasse d'un café, à faire courir mon chien au bois de Vincennes, à écouter sur mon lit des 78 tours de jazz. Je fréquentais peu mes anciens camarades de faculté. La plupart avaient déjà femme et enfants. Ils me considéraient comme un célibataire endurci, un misanthrope replié sur lui-même incapable de prendre la responsabilité de fonder un foyer.

À quinze ans, je m'étais épris d'une voisine blonde qui m'avait rabroué. J'avais décidé que même si ce chagrin d'amour devait durer toute ma vie je n'aimerais jamais personne d'autre. Une façon sans doute de me simplifier l'existence. Mais j'ai tenu parole jusqu'à présent.

Je n'étais pas de service ce soir-là. J'ai reçu un appel peu avant minuit. Un pâté d'immeubles flambait avenue Parmentier. Les deux tiers des pompiers de Paris étaient déjà sur les lieux. Les habitants avaient commencé à sauter par les fenêtres. Parmi eux, quelques miraculés survivraient, même s'ils n'étaient que fractures et traumatismes crâniens.

On avait essayé à l'aide d'un porte-voix de persuader les candidats à la défenestration de calfeutrer leur porte avec des chiffons mouillés en attendant qu'on vienne les secourir. Mais avec le bruit des sirènes, le crépitement des flammes, le vacarme des plafonds environnants qui s'effondraient, peu avaient entendu ces conseils.

À mon arrivée, les habitants continuaient à pleuvoir. Le ballet des pompiers courant sous les fenêtres en tendant une toile pour amortir leur chute avait quelque chose de burlesque au milieu de cette tragédie. On alignait les morts à même la chaussée. Des momies ou des cadavres en pyjama, disloqués, la plupart rougis par le sang.

Les urgences des hôpitaux débordées n'acceptaient plus personne. L'armée installait à la hâte des tentes kaki sur le trottoir pour servir d'infirmerie de fortune.

On manquait de médicaments, la morphine était rare. Les gémissements des blessés stoïques étaient couverts par la déflagration des hurlements des autres. On n'avait ni le temps ni le matériel pour faire des analyses. Faute de connaître leurs groupes sanguins, beaucoup succombaient d'hémorragie sans qu'aucun soignant n'ait osé prendre le risque de les transfuser à l'aveugle.

Vers trois heures du matin, l'incendie semblait maîtrisé. Des trois immeubles ne restait plus que la carcasse de pierre. Une maison neuve avait subrepticement pris feu un peu plus tard, elle se consumait de l'intérieur et des vitres pulvérisées par la chaleur sortait plus de fumée que de flammes. Les pompiers étaient en train de l'investir, défonçant les portes des appartements à la hache. Les lits étaient pleins de morts asphyxiés par les vapeurs d'un matériau d'isolation qui avait fondu tranquillement, transformant les logements en chambres à gaz.

On avait maintenant réquisitionné toutes les ambulances de la région. Elles emmenaient les victimes vers les hôpitaux de banlieue et de plus loin encore, vers Fontainebleau, Versailles, Rambouillet, Tours. Des camions emportaient les corps, les tentes se vidaient peu à peu.

Alertés par les bulletins d'information de la radio, des médecins étaient venus de leur propre chef à la rescousse. Nous étions à présent trop nombreux auprès de la douzaine de blessés qui n'avaient pas encore été hospitalisés.

J'ai abandonné mon poste pour aller griller une cigarette.

Je marchais le long de la catastrophe. Je regardais l'immeuble qui fumait toujours malgré l'arrosage continu des lances. J'ai entendu un cri, j'ai levé la tête. Du deuxième étage, une femme tombait. J'ai eu le réflexe dérisoire de courir pour la recevoir dans mes bras. Elle s'est écrasée à mes pieds. J'ai pris sa main pour constater son décès, mais son pouls battait fort. Visage intact, pas de vertèbres cassées, mais les jambes brisées jusqu'en haut des cuisses. On est accouru, on m'a aidé à la déposer sur un brancard.

On l'a transportée sous une tente. Maintenant sa respiration était régulière, son pouls battait plus lentement, sans à-coups, comme celui d'une vivante en train de dormir. Je l'ai mise sous oxygène. En installant le masque sur son visage, j'ai reconnu ma voisine de jadis.

Une opération au petit matin. Impossibilité de réparer.
– À ce stade-là, ce ne sont même plus des fractures. Les os étaient en miettes.
– Si on attend demain, on n'évitera pas la gangrène. Amputation des deux jambes.

Un mois d'hospitalisation. Rééducation dans un centre spécialisé sur la façade atlantique. Elle a mis au rancart deux lourdes prothèses qui l'obligeaient à utiliser un déambulateur pour cheminer comme une tortue. Le reste de sa vie sur une chaise roulante.

Je l'ai épousée là-bas. Une cérémonie bizarre, dans une chapelle improvisée salle des pas perdus. Au printemps suivant, nous sommes partis en voyage de noces. Assis au fond d'une gondole, nous évitions les regards apitoyés des touristes incapables de faire l'effort de ne pas nous remarquer en nous croisant sur un pont ou au détour d'une venelle. La promenade terminée, nous retrouvions la chaise qui nous attendait sur le quai. Le gondolier m'aidait à la remettre en selle.

Du vrai bonheur. Elle ne pleurait jamais sur ses jambes perdues.

Une naissance par an au cours des quatre premières années de notre mariage. Dix ans plus tard, des jumelles. Elle tenait à conduire elle-même les gamins au jardin d'enfants. Quand ils entraient à l'école primaire, elle préférait envoyer la jeune fille au pair à sa place.

– Je ne veux pas que les autres se moquent d'eux.

Ils n'en ont jamais eu honte. Ils faisaient des caprices pour qu'elle vienne à la fête du lycée, qu'elle les accompagne au judo, chez le dentiste, ou assiste à la pièce de théâtre montée par la mairie du 5e arrondissement dans laquelle ils ânonnaient Molière. La maison était toujours pleine de leurs amis, ils étaient fiers de la leur présenter.

– Maman, tu es belle.

Ils lui trouvaient une ressemblance avec une chanteuse des années 1960 dont je ne me souviens plus ni du nom ni du visage.

Les couples peu à peu comme des coupes trop pleines. À quelques encablures de notre fin de parcours, le nôtre avait débordé ce jour-là. Mon épouse avait enduré ma neurasthénie pendant des dizaines d'années.

Elle avait dû écouter chaque soir le récit de ma journée de médecin anxieux dont le regard perçant ne distinguait en chaque malade que le squelette auquel son corps se réduirait dans la tombe. Après mon abdication, elle m'avait supporté à l'état de zombie errant toute la journée de pièce en pièce dans l'angoisse de l'hypocondrie, s'effondrant à tout bout de champ sur le canapé comme un tas de briques tombé d'une brouette. Elle avait eu le courage de ceux qui leur vie durant acceptent de cohabiter avec un fou. Elle avait donc gagné le droit de faire à son tour une incursion dans la démence.

Accoudé sur la rambarde du balcon, je l'ai vue quitter l'immeuble. Elle avançait comme une furie. Les piétons la regardaient filer en souriant. Ils croyaient probablement assister au tournage d'un film. Elle prenait de la vitesse dans la rue pentue. Quand elle a tourné au carrefour, j'ai cru qu'elle disparaissait à jamais de ma vie.

Une solitude subite. La rue ensoleillée semble s'assombrir sous le soleil qui persiste à briller, on sent couler les larmes, sensation rattachée à l'enfance qui rappelle la dernière fois que l'on s'est soudain senti pisser dans sa culotte courte.

Tout ce temps abîmé, décomposé, ces milliers de jours auxquels je n'avais pas touché, comme un délicat qui trouve les plats trop salés, les desserts écœurants et le café amer. Un étang noir derrière moi, avec entre deux eaux toutes ces heures perdues dans lesquelles je n'avais même pas trempé les lèvres. Un pan de vie gâché, un crime.

Elle a roulé dans Paris jusqu'à l'épuisement. Elle a échoué dans un centre commercial. Un vigile a remarqué sa chaise en rade contre la vitrine de la pâtisserie. Il lui a parlé sans obtenir de réponse. La police, l'ambulance, l'hôpital. J'ai reçu un appel en fin d'après-midi. L'infirmier m'a demandé s'il était bien au domicile de cette femme dont il avait sous les yeux la carte d'identité.

– Je suis son mari.

– Venez la chercher.

– Comment va-t-elle ?

– Catalepsie.

Elle a passé trois semaines allongée dans la chambre. Quand elle ne dormait pas profondément, elle restait éveillée de longues heures sans bouger. Seul le mouvement de ses paupières me donnait la certitude qu'elle était toujours en vie. Les enfants venaient la voir. Ils n'obtenaient ni sourire ni hochement de tête. Je restais auprès d'elle jour et nuit.

Elle est revenue à elle un matin.

– Qu'est-ce que tu fais là ?

– Je t'apporte ton jus d'orange.

J'ai posé le verre sur la table de chevet.

– Tu es qui ? Tu es toi ?

– Bois.

Elle a bu, puis elle s'est rendormie. À son réveil, elle était à nouveau cloîtrée dans sa léthargie. Le dimanche suivant, elle a reconnu un de nos petits-enfants.

– Je me rappelle, on te voit parfois dans le coin.

Sa guérison a été clignotante pendant quelques mois, avant que sa mémoire ne se rallume définitivement. Aujourd'hui, il est bien rare qu'elle connaisse un court moment d'absence. Alors son regard devient vague, comme si sa mémoire faisait un somme.

Elle a définitivement perdu l'usage de l'insouciance. Elle passe une partie du jour à se dévisager dans la salle de bains. Le reste du temps, elle ne résiste pas à la tentation de surveiller sa figure d'un coup d'œil dans le miroir de son poudrier. Elle ne semble pas certaine d'être la bonne personne. Quand elle était revenue à elle, on lui avait peut-être donné quelqu'un d'autre à sa place. Parfois, elle se regarde nue, fixant ahurie ses jambes envolées comme si elle constatait leur disparition pour la première fois.

Durant son absence, elle avait repoussé son corps mutilé, retrouvant sa jeunesse, la beauté intacte de ses vingt ans. Au cours des premières semaines qui ont suivi sa résurrection, elle ne savait même plus qu'elle était mère. Elle aimait toujours nos enfants, mais quand elle les embrassait on aurait dit qu'elle étreignait ses frères.

Nos années de mariage devaient être pelotonnées dans un souvenir trop dense pour qu'elle puisse le traverser. Un souvenir, un caillot de mémoire, un caillou. Elle l'avait jeté au loin. Elle aurait voulu pouvoir modifier sa coquille, faire correspondre son apparence avec la jeune fille en elle retrouvée.

Un an plus tard, une banale radio de la colonne vertébrale m'a appris que j'allais inéluctablement mourir d'ici le mois de mai. J'ai compté machinalement les jours qu'il me restait.

– Quatre-vingt-dix. Quatre-vingt-neuf à cause de février. Dommage que ce ne soit pas une année bissextile.

– Mais il y a des rémissions.

Le cancérologue de l'hôpital Saint-Louis n'arrivait pas à me regarder en face en mentant.

– Je n'ai pas peur.

J'ai quitté son bureau en titubant, comme on sort hébété d'une voiture après une collision. Je me suis promené sur les quais du canal Saint-Martin. Pas de soleil, la grisaille et un petit vent froid méchant comme la gale. Quand a commencé à tomber la pluie, le bonheur m'est venu.

Je n'avais plus peur de mourir aujourd'hui, ce soir, tout de suite.

– Trois mois.

Je pourrais désormais m'endormir sans craindre de ne pas me réveiller le lendemain. J'avais la possibilité de me projeter dans cette portion d'avenir sans redouter qu'une attaque ne me coupe l'herbe sous le pied. En cas de tremblement de terre, je pouvais même être certain de figurer sur la liste des survivants.

J'éprouvais un désir d'abandon, une envie de scier les mâts, de rompre la barre, de me laisser tanguer. Je me donnais l'autorisation de nier le futur et d'oublier le malheur d'être, maintenant qu'avait disparu la terreur de n'être plus.

Ma femme est peu à peu descendue de son rêve. Elle se souvient à présent de ses quatre-vingt-cinq ans, mais elle s'accroche au temps. Faute de pouvoir lui faire rebrousser chemin, elle essaie de le ralentir, de l'immobiliser. À force de bistouri et d'injections, son visage d'origine s'est effacé. Elle est devenue une inconnue entre deux âges impossibles à chiffrer.

Le cancer n'est jamais une bonne nouvelle. Dans le regard de ses proches on voit que déjà se déroulent en boucle vos obsèques. La guérison est une croyance. Je ne me suis jamais demandé s'il existait un Dieu, mais il me faut parfois faire d'invraisemblables efforts pour résister à la tentation de m'infliger la torture de l'espérance de la guérison.

Il n'a fallu que quelques semaines pour que j'éprouve des difficultés à rester debout. À présent, je ne prends plus la peine de me lever. Les minutes sont confortables, amples, profondes. Le compte à rebours n'existe pas si on se garde de l'inventer à chaque seconde. Il faut oublier sa dépouille pour exister. Je ne suis pas mon corps, ce Judas qui me donnera à la mort.

Je vois le soleil couchant à travers les arbres du Jardin des plantes. Le feuillage bat comme une aile les vitres dans le vent du soir. Un crépuscule permanent, une aube à perpétuité.

Je meurs, ce devait être moi ce point qui disait *il fait chaud, j'ai froid, ça me fait mal, je suis content, c'est un plaisir, vivement demain, la pluie cet hiver était pire que le froid.* Un point dans le crâne, errant, fixé au bout d'une tige comme le soufre d'une allumette, une poussière dans le cœur, une peau autour du cerveau, une démangeaison.

Dissipée l'angoisse de se croire unique, de méditer dans la douleur à chaque instant l'étron du moi destiné à choir dans le tombeau et que les vivants chérissent au point de consacrer leur vie à le former comme les rois à se faire ériger une pyramide, une statue, à faire composer de leur vivant leur légende par des griots et des bardes.

S'abandonner, se laisser filer, dévaler, ne plus interférer ni même intervenir, les événements étouffent la vie. N'être pas mort est devenu pour moi la totalité du bonheur.

Les instants de celui qui va mourir sont aussi merveilleux que ceux des bien portants qui se croient encore immortels. L'éternité existe, mais il ne faut pas exiger d'elle qu'elle dure longtemps.

L'éternité passagère, fulgurante, éphémère. La vie comme une apparition, l'épiphanie continuelle, dans chaque seconde l'infini enroulé sur lui-même à l'infini. On peut croire l'instant sur parole, pas besoin de douter, de le soupçonner, de demander à inventorier le futur, de vouloir rester à jamais vivant pour inspecter les années, les siècles à venir, d'exiger de les vivre comme si elle était un dû, la vie éternelle.

On me l'a donnée, l'éternité. C'est le destin qui parfois vous fait un cadeau sans vous accorder le temps de dénouer le nœud du ruban.

Une déferlante de haine

Mon passé est dans la pièce à côté. Une pièce où je ne suis encore jamais allé. Une pièce sans porte ni fenêtre ni ouverture d'aucune sorte. Les instants de ma vie entassés, piles effondrées, amoncellements de hasard où grouillent les gens d'autrefois.

Il y en a eu des matins, des semaines, des jours magnifiques quand les plus humbles objets rayonnaient comme des lampes, des astres. Je n'ai pas envie de parler de la tristesse, cette crasse sur la vie que rien ne débarbouille. À mon âge je cherche le soleil. Je dors volets ouverts afin de ne pas gaspiller la clarté de l'aurore.

Je visite toutes les pièces de la maison. Je compte les chambres. Je monte au grenier, si par hasard mon passé avait colonisé une malle, s'il s'était installé dans une valise de vieux linge. Je grimpe sur le toit pour vérifier qu'aucune cahute n'a été construite par-dessus les ardoises. Je sonde les murs du débarras, peut-être a-t-on ménagé une poche de béton qu'on a aussitôt refermée sans laisser de trace. Comme les hiboux, le passé doit aimer l'obscurité.

Je ne trouve rien. Je conviens de mauvaise grâce que je me suis trompé. Il est pourtant quelque part. Il suffirait de chercher, prendre un avion, traverser en pirogue un fleuve d'Afrique, escalader une montagne à dos de mulet, prendre un billet vers l'espace pour le retrouver. Quand un homme a été vidé de toute sa jeunesse, son présent est une ville dévastée, sans foule ni passants. Il n'y a pas de train, pas de rails, pas de gare. Toutes les avenues sont obturées. Pas d'aéroport et de toute façon plus rien ne s'envole. On a même mis un couvercle au ciel.

Je me vautre dans mon fauteuil. Je me perds dans un programme. La télévision m'anesthésie. J'ai vécu un moment d'égarement. Ils sont humiliants ces petits épisodes de folie. On aurait honte d'avoir été filmé hagard de pièce en pièce cherchant un rêve, un cauchemar, l'incarnation de sa mémoire.

J'habite avec mon épouse. Les jours de grève, il y a quelques mois encore on nous prêtait un de nos arrière-petits-fils quand on ne trouvait aucun aïeul pour le garder. Un enfant magnifique évadé d'un tableau de Fragonard. À quatre ans, il est capable de réciter la liste des nombres premiers jusqu'à 971. Notre petite-fille lui a choisi pour père un agrégé de physique dont on dit que le liquide séminal enflamme parfois les couilles tant ses spermatozoïdes phosphorent de jour comme de nuit.

Elle essaie d'augmenter le quotient intellectuel du petit en l'abreuvant de jeux éducatifs complexes mis au point par un savant coréen. Le cerveau du gamin ridiculisera un jour celui de son père. Notre espèce décollera avec ce prodige. Ses enfants franchiront encore une étape vers l'intelligence absolue. À cette allure-là, les scientifiques du XXIIe siècle compareront la cervelle d'Einstein à un grain de béluga. Quant aux pauvres types comme moi qui ont passé péniblement leur bac en 1939, on en fera le chaînon manquant entre le grillon et le singe.

Ma femme était une beauté mince quand je l'ai connue. À quatre-vingt-deux ans, on la dirait plutôt maigre comme une dent de fourchette. Elle est encore agile. Elle grimpe à l'échelle pour nettoyer les chéneaux des feuilles mortes d'octobre. Elle est rapide, son corps léger monte les étages avec la vélocité d'un guépard. Son regard aigu lui permet de lire sans lunettes les notices des médicaments. S'il y a du soleil, elle peut repérer à cinquante mètres une pièce de monnaie tombée de ma poche sur le pavé de la cour. Elle compte mieux qu'une calculette, même les pourcentages lui viennent sans peine à l'esprit. Sa mémoire lui permettrait de nommer toutes les étoiles si elle s'intéressait à l'astronomie.

Notre petite-fille est enchantée que le gamin ait une arrière-grand-mère aussi performante.

– L'ancêtre de l'ordinateur devait être une pendule. Une mécanique aussi complexe pour l'époque qu'un microprocesseur. Il n'est pas indifférent pour notre fils que sa lignée comporte au troisième degré un être au joli cerveau.

– C'est sûr.

Je suis plus poussif. J'ai toujours laissé mon intelligence en jachère. Je n'aime pas réfléchir, créer, remettre en question la réalité à tout instant comme si elle pouvait commettre une erreur en se produisant. Ma vie est une pente douce que je dévale en roue libre.

Mes yeux sont un pare-brise grêlé par les cailloux, tacheté de boue, de toute part fendu par l'âge. Mes roues me portent à peine. Mon réservoir tombera bientôt en panne d'années. Je ne suis pas assez gâteux pour me prendre pour une voiture, mais j'ai été si longtemps vendeur dans une concession Mercedes. Je me compare à ce que je connais.

Nous menons une existence confortable. Nous achetons plusieurs fois par semaine. Nous habitons la banlieue boisée d'une ville dotée d'un grand centre commercial où l'on peut faire le plein de nourriture, s'offrir un vêtement, des plantes vertes, un téléphone savant comme la bibliothèque d'Alexandrie. Il y a encore quelques années, ce genre de gadget était trop compliqué pour les vieux. Aujourd'hui ces trucs fonctionnent aussi simplement qu'un animal de compagnie dont le mode d'emploi est connu depuis l'Antiquité.

Il y aura bientôt des machines dont même les bêtes pourront se servir. Elles leur permettront d'accomplir un travail rémunéré. Elles deviendront alors des partenaires autonomes de l'économie de marché, des consommateurs décisionnaires que les multinationales devront savoir séduire par des spots respectant leur spécificité, leur histoire, leur vision du monde dont on sait encore si peu. Il appartiendra aux entreprises d'explorer ces terres inconnues afin de déterminer les besoins de cette nouvelle clientèle ainsi que le mode de vie auquel elle aspire.

Qu'on ne compte pas sur moi pour accomplir cette tâche. Nous n'avons pas d'animaux et ma femme a toujours été trop jalouse pour que j'achète un chien. Elle comptait les baisers que je faisais aux gosses. Je dois même me cacher pour bichonner ma voiture et elle s'arrange pour me faire passer une soirée exécrable quand je suis resté trop longtemps avec elle dans l'intimité de notre garage.

Je n'ai pas à me plaindre, je l'ai épousée volontairement. Tandis que les aveugles et les hémiplégiques n'ont pas choisi leur handicap.

J'ai toujours été opposé au divorce, ce parjure que la société avalise. Les gens se plaignent de ne plus s'aimer après quelques années de vie commune, mais ce n'est pas une raison pour déserter. Si les fondations des immeubles raisonnaient ainsi, elles décideraient peut-être un jour que par manque d'affection pour le rez-de-chaussée elles sont en droit d'abandonner la maison en emportant avec elles béton et briques. Des lotissements entiers s'écrouleraient.

Sur le plan sexuel, je n'ai jamais été flamboyant. Une petite flamme allumée tant bien que mal par la puberté qui m'a permis plus tard de féconder par trois fois ma femme. Elle s'est éteinte comme une veilleuse épuisée au lendemain de ma retraite.

J'aurais aimé pouvoir continuer à travailler, voir du monde, quitter la maison à heure fixe pour mériter un salaire. Mais le patron voulait ma place pour son beau-frère et il ne m'a accordé aucun sursis.

J'ai rôdé longtemps autour de la concession. Je faisais les cent pas caché sous ma casquette, regardant à travers la vitrine les collègues embobiner les clients. Quand l'un d'eux me repérait, je poussais la porte et lui proposais de déjeuner avec moi.

— Pas le temps.

— Demain ou vendredi ?

Il secouait la tête.

— Impossible.

137

– Dimanche prochain, je fais un barbecue à la maison.

Il haussait les épaules et m'adressait le bon sourire de l'homme qui préfère laisser partir un acheteur potentiel sans l'humilier, mais sans lui accorder non plus la ristourne qu'il réclame depuis vingt minutes.

– Allez, bon courage.

Il me raccompagnait. Je me retrouvais seul au monde sur le trottoir.

Il m'arrive encore de retourner là-bas. Je me gare en face. Je reste derrière le volant. J'oriente le rétroviseur de façon à voir sans être vu. Les employés de jadis ont disparu. Ceux qui les ont remplacés leur ressemblent. Un peu plus grands peut-être, on dit que les Français grandissent. Mais ils portent les mêmes costumes bleu marine et un visage dont on a l'impression qu'ils ont hérité de leurs aînés comme d'un masque. Rien d'étonnant, les Mercedes d'aujourd'hui ont un air de famille avec celles des années 1970.

Je les regarde évoluer. Un spectacle joué par de bons acteurs, des proies attirées par des voitures aussi rutilantes sous les projecteurs que celles d'autrefois sous les néons blancs. Beaucoup s'échappent de la nasse, mais quelques-uns se laissent prendre. On leur arrache une signature, une balafre sur leur compte en banque avec une hémorragie à la clé. Le plaisir de vendre me manque. Transformer mes bonnes paroles en argent me donnait la délicieuse illusion d'imprimer de la fausse monnaie.

Je ne devrais pas parler. Mon bavardage caricature. Je fais de moi un pauvre type, de mes proches des clowns. Je calomnie les sentiments. Je vois sous leur velours la faiblesse, la lâcheté, le refus d'aller jusqu'au bout des rapports de force. Je calomnie ma vie pour ne pas avoir à verser une larme de nostalgie avant de tirer ma révérence.

J'ai eu une vie plane, sans drame insurmontable, sans tragédie. Mes enfants ont poussé sans rompre ni perdre de branches en cours de route. À l'heure où je vous parle, notre descendance tout entière est vierge de mort. Nos rejetons ont donné des fruits, la sève continue à les irriguer et il leur reste encore de nombreux printemps avant la coupe.

En ce qui me concerne, à quatre-vingt-neuf ans je plante encore des arbres dans le jardin en m'imaginant remplir des seaux entiers de pêches et de cerises quand ils seront arrivés à maturité. J'ai un horizon devant moi, pas le vide.

Ma femme n'est pas un animal. Même s'il est exact qu'elle grimpe avec la vélocité d'un rongeur, qu'elle a un œil de lynx et une mémoire de bonne facture malgré le temps. Sa jalousie est l'avatar de son amour pour moi. À chaque scène, je me sens valorisé d'être un objet précieux, un bijou qu'on craint de voir quitter son doigt pour celui d'une autre.

Parfois la nuit elle m'enserre. Elle enfonce ses ongles dans la peau de mon dos pour mieux s'arrimer à moi. Il m'arrive de rêver que nous faisons l'amour. Elle fait peut-être au même instant un rêve qui ressemble au mien. Personne n'a jamais prouvé que les rêves ne s'accouplaient pas comme des gens.

Notre vie n'est pas un troupeau de jours semblables et poussiéreux. Chacun baigne dans sa lumière. Il y en a de plus colorés, de plus animés, de plus chauds. Et puis souvent nous rions.

Les fêtes de famille ennuient les adolescents, mais à notre âge on les désire, on les attend, on les prépare avec soin. Cette année, nous avons connu un bouleversant Noël. Nous avons cru qu'il allait nous emporter, que nous ne survivrions pas à cette catastrophe dont en définitive nous sommes les heureux rescapés.

Quinze jours avant le réveillon, je suis allé comme chaque année cueillir un sapin dans la forêt. J'ai été poursuivi par des écologistes. Ils m'ont menacé du poste de police au nom de la lutte contre la déforestation. J'ai couru avec mes petites jambes molles. Ils m'ont vite rattrapé. Ils semblaient prêts à me battre. Ma vie pesait moins lourd que celle d'un arbre. J'ai essayé de négocier ma libération. Les mots chaviraient en sortant de ma bouche car ces énergumènes me secouaient. J'ai été sauvé par un grand type qui promenait son chien. Ils se sont enfuis queue basse.

Rentré à la maison, j'ai eu une crise d'angine de poitrine. Le docteur est venu. Il m'a placé en observation à l'hôpital. Débordée par les préparatifs, ma femme n'a pu me rendre visite.

La nourriture avait une odeur de chlore, les desserts un goût de vieux poisson. Je chipotais mon plateau du bout des lèvres. Je n'avais pas seulement un paquet de biscuits pour éviter l'hypoglycémie. Je manquais de m'évanouir chaque fois que j'essayais de me lever pour aller aux toilettes.

Quand on m'a autorisé à partir, je suis rentré en taxi.

Il n'y avait personne à la maison. Ma femme n'est arrivée qu'à minuit.

– Où tu étais ?

– Je faisais des courses.

– Tu as vu l'heure ?

– J'ai dû attendre le train.

Elle avait fait soixante kilomètres pour aller acheter du foie gras chez un traiteur dont on avait parlé la veille à la radio. Elle s'est couchée à trois heures du matin afin de nettoyer de fond en comble la chambre où coucherait notre fils. Le bruit de l'aspirateur m'a empêché de dormir.

Noël approchait de plus en plus vite, déboulait comme un bolide qui double un camion et va vous percuter de plein fouet. Nous nous efforcions de rendre la maison accueillante. Douze heures de travail par jour, comme du temps où nous avions chaque automne un stand au Salon de l'auto. J'aimais cette ambiance laborieuse.

Les murs avaient jauni. Il ne me restait plus que cinq jours pour tout repeindre. Afin d'économiser mes forces, j'ai loué un pistolet. Je m'imaginais que planté au centre d'une pièce il me suffirait d'appuyer sur la détente pour la doucher des plinthes au plafond. Le résultat n'a pas été à la hauteur. J'ai rendu l'engin. Je n'avais endommagé que la salle à manger. J'en ai été quitte pour faire l'emplette de pères Noël en feutrine. Je les ai collés avec de l'adhésif pour masquer les coulures.

– C'est assez joli.

– Je vais en avoir pour la nuit à nettoyer le parquet avec de la benzine.

– Il suffit d'acheter un grand tapis.

141

Je me suis mis en tête de décorer notre cave pleine de vieilles peluches amputées, de poussettes rouillées et au beau milieu cette affreuse chaudière sinistre avec sa fonte brute de fonderie.

– Personne n'y va jamais.

– Je veux que tout rayonne.

J'ai agrafé sur les parois des photos de vacances. J'ai recouvert poussettes et chaudière de brassées de gui artificiel aussi luisant que s'il venait d'essuyer une averse.

Pendant ce temps ma femme accumulait cadeaux et victuailles. Au lieu d'un menu unique, elle avait décidé de faire des repas à la carte. Elle avait remarqué que certains aimaient la volaille, d'autres le bœuf ou le cochon. Sans compter ceux qui apprécieraient davantage un omble chevalier, une choucroute, un savoureux pot-au-feu avec un os à moelle coupé en deux.

Quant aux enfants, aujourd'hui ils se sentent punis si on ne leur sert ni frites ni hamburger. Il lui fallait donc prévoir un hachoir et des pommes de terre déjà pelées, coupées en allumettes, prêtes à être plongées dans l'huile bouillante de la friteuse de restaurant dont elle venait de faire l'acquisition.

L'achat d'une fontaine à soda s'est avéré indispensable pour achever de leur donner l'impression de réveillonner dans un fast-food.

Depuis quelques années, nous avions constaté qu'on n'appréciait pas toujours nos cadeaux. Sitôt la distribution terminée, ils se précipitaient sur leur téléphone pour les mettre aux enchères sur internet. Il manque aux jeunes générations deux ou trois heures par jour pour faire face à leurs obligations et jouir pleinement de leurs loisirs, nous voulions leur épargner cette perte de temps.

– Il faudrait donner à la maison des airs de grand magasin.

J'étais d'accord avec ma femme.

– Au moins leur offrir l'illusion de pouvoir arpenter quelques rayons.

Nous écumions les boutiques depuis l'automne, achetant des habits, des montres, des produits électroniques de divers coloris afin de pouvoir satisfaire leurs goûts et leurs tocades du dernier moment.

J'ai négocié avec certains commerçants un protocole d'échange. Nous leur rapporterions les stocks qui nous resteraient et ils nous les reprendraient contre des avoirs renouvelables plusieurs années durant. L'emprunt que nous venions de contracter à la banque à un taux infernal finirait peut-être par se révéler profitable si l'inflation se réveillait et rendait dérisoires les remboursements mensuels dont nous ne serions délivrés que dans cinq ans.

Nous avions déjà rempli de cartons le débarras jusqu'au plafond. Les colis continuaient d'arriver chaque matin. Ils montaient haut le long des murs du hall d'entrée.

Le 24 décembre, nous avons encore réceptionné une caisse de baladeurs dont nous avions passé commande trois jours plus tôt. Ma femme l'a perchée au-dessus d'une pile instable qui s'est effondrée. Protégés par leurs emballages les appareils n'ont pas souffert, le reste de la pile n'était que pulls en cachemire, lingerie sexy pour nos arrière-petites-filles qui dès douze ans aiment à porter des sous-vêtements de strip-teaseuses, chemises de soie, sacs de couchage en polystyrène dont nous avions obtenu un lot chez un soldeur. Rien de fragile, nous en avons été quittes pour reconstruire plus solidement l'édifice.

Un deuxième frigo puis un troisième s'étaient révélés nécessaires. La cuisine est assez vaste, nous les avions installés en rang d'oignons. En ouvrant toutes les portes à la fois, nous pouvions avoir une vue d'ensemble sur les vivres. Tout ce qui ne serait pas consommé finirait dans le congélateur, nous jetterions impitoyablement les produits entamés.

– Pas question de les donner aux Restaurants du cœur.

L'année précédente, ils nous avaient refusé un plateau d'huîtres sous prétexte qu'elles étaient ouvertes et déjà citronnées. Nous les avions jetées dans le caniveau. Un chat venu de nulle part s'était précipité pour les lécher comme des sorbets.

– Cette année, nous les fourguerons aux félins anonymes.

– Ha, ha.

Une de ces parties de rire qui ressoudent un vieux couple mieux qu'une partie de jambes en l'air. Les jeunes rient moins aujourd'hui. Pour s'amuser ils comptent sur la pléthore de comiques patentés qui traînent à la télé. Quand les vieux seront morts, les jeunes prendront leur place et ils seront bien attrapés de constater que la planète était plus joyeuse du temps où nous nous tapions la fonction d'ancêtres.

– Avec les progrès de la médecine, les gosses deviendront encore plus vieux que nous.

– Ils seront encore plus laids. Tant il pendouillera qu'à chaque pas ils se prendront les pieds dans leur visage.

– Ha, ha, ha.

Nous aimons les jeunes. Nous leur en voulons cependant de ne pas nous proposer de temps en temps d'échanger nos rôles afin de nous soulager un peu. Un élan de solidarité avec la décrépitude qui ne déboucherait sur rien. Pourtant cette intention nous toucherait.

– Une fois par an, j'aimerais bien moi aussi être fraîche et belle.

– Et moi, avoir une langue assez longue pour tenter le cunningulus.

Une pratique dont la télévision avait parlé mais qui nous était inconnue du temps de notre vie sexuelle.

– Le cunnilingus.

– N'importe, une langue de lézard.

– Tu es fou.

Nous avons tellement ri que ma femme a subi une quinte de toux et moi une petite crise de tachycardie.

Les enfants ont commencé à arriver par voitures entières à partir de dix-huit heures. Un temps froid, sec, sans verglas, sans neige. Dès l'ouverture des portières, les gosses bondissaient tandis que leurs parents ankylosés s'extirpaient.

Même si nous ne nous sommes reproduits que trois fois, deux générations plus tard la famille s'est faite tribu. Nous avons parfois du mal à mettre un nom sur chaque visage. Tout ce petit monde devrait porter un badge avec son identité et son lien de parenté avec nous. J'en ai parlé l'été précédent avec mon fils, il a cru que je plaisantais.

La porte de la maison s'ouvrait, claquait, s'ouvrait à nouveau à pleine gueule, laissant entrer notre famille bouchée après bouchée. Nous étions submergés de travail et pas d'humeur à supporter les embrassades ni les étreintes.

– Personne dans le salon avant le signal.

– Que tout le monde monte dans sa chambre pour dégager le passage.

Ils piétinaient, on aurait dit des réfugiés impatients d'obtenir leur ration de flotte. Je donnais de la voix et des coups de pied dans le vide comme à l'époque où afin d'épauler leur mère je sautais de mon fauteuil pour jouer les pater familias.

– Ouste, grimpez donc.

Ils montaient. Avec leur soixantaine dépassée nos enfants étaient lents.

Tous ces cartons donnaient à la maison une allure de dépôt. Nous entreprenions d'en répandre le contenu aux alentours du sapin. Recouvrir chaque objet de papier doré comme les années précédentes se serait révélé une fantaisie chronophage bonne à repousser au 1er janvier la distribution des cadeaux.

– Quand je t'apporte un carton, tu le vides par terre d'un seul coup.

– On risque d'abîmer les objets.

– Sur le nombre, il y aura forcément assez de survivants pour que chacun trouve son bonheur.

– C'est gâcher.

– Nous n'avons pas le choix.

Pour la première fois depuis des lustres, nous n'avons pas eu le temps de tenir compte du temps. Peu nous importait le cadran de nos montres, la course de la lune, le coucou chantant les heures au-dessus du buffet.

Le salon était submergé. Nous avons ménagé des sentiers pour pouvoir circuler. Ma femme avait le visage trempé de sueur, des auréoles aux aisselles et elle ne cessait de tresser des couronnes à son déodorant.

– Il est vraiment épatant.

Mon cœur battait fort, cognait ma cage thoracique comme un poing de boxeur. Une sensation agréable que je connaissais jadis quand j'étais sur le point de conclure une vente avec un acheteur coriace.

À l'étage, tout le monde trépignait. Nous percevions une rumeur et des bruits de pas. À plusieurs reprises, ils avaient envoyé un enfant pour nous espionner. Nous l'avions renvoyé.

– Du balai.

Peu nous émouvaient les pleurs du gosse plus habitué à nos caresses qu'à nos hurlements.

J'en étais à tartiner les canapés de l'apéritif, ma femme à faire un dernier inventaire du contenu des frigos. Les hors-d'œuvre étaient dispersés, elle ne trouvait plus la dinde, sur les bûches gouttait le sang des steaks hachés des futurs hamburgers.

– Tu n'as qu'à tout mettre sur la table.

– Les aliments vont prendre le chaud.

– Ouvre grande la fenêtre.

La soirée avançait, la température descendait au-dessous de zéro. Nous tremblions, claquions des dents, mais nos victuailles avaient fière allure sur la toile cirée de l'immense table de ferme où nous avions parfois dîné à vingt-cinq.

– D'abord, ce qui doit mitonner.

Elle a rempli faitouts, marmites, casseroles de viandes

147

issues d'une infinité d'animaux, ainsi que de carottes, de pommes de terre et de légumes médiévaux ou exotiques dont deux ou trois m'étaient inconnus. La cuisinière manquait de feux pour accueillir tous ces ustensiles, nous avions prévu quatre réchauds à gaz, une dizaine d'autres fonctionnant à l'alcool, quatre étant équipés d'une simple bougie.

Elle paniquait.

– Les ragoûts ont besoin de mijoter, le gigot doit cuire sept heures.

– La nuit nous appartient.

Elle en est convenue. Nous sommes partis d'un fou rire qui a couvert le brouhaha régnant à l'étage, avec ces couples affamés qui se disputaient et les marmots dévorant de leur bouche mousseuse les savonnettes à l'ananas de la salle de bains.

– Maintenant, dressons les kiosques.

Des tables parfois basses que nous étions obligés de surélever en glissant des livres sous chacun des pieds. Des chaises s'escaladant, recouvertes d'une nappe, d'un drap, de serviettes décorées d'oursons et de bateaux. Les plateaux de fruits de mer, les corbeilles de pain, les assiettes de gâteaux nichés sur les édifices vaille que vaille.

Sur les étagères de la bibliothèque, le hachoir, les plaques chauffantes, la provision de ketchup et de fromage de Hollande. Posée sur le sous-main du bureau d'acajou, la majestueuse friteuse dont l'huile furieuse envoyait des postillons à plusieurs mètres à la ronde.

– Tu crois qu'une fontaine à soda suffira ?

– Il ne doit pas y avoir plus d'une quinzaine de gosses.

Elle a fait une moue dubitative.

– Si tu es si inquiète, tu n'as qu'à les compter.

– Je n'ose pas monter, j'ai peur de me faire houspiller.

Nous parvenaient à présent des hurlements sporadiques. Ce n'étaient plus des mômes qu'on nous envoyait, mais des adolescents velus, costauds, qui réclamaient pitance en nous bousculant. J'étais obligé de les menacer avec mon fusil de chasse.

– Disparais, grand-mamie n'a pas fini de cuisiner.

L'un nous a insultés en se repliant, l'autre n'a fui que lorsque j'ai tiré une cartouche en l'air, perçant le plafond, traversant le couloir des chambres, instaurant là-haut un silence de mort dont nous avons profité longtemps. Si longtemps que nous nous sommes demandé si la déflagration ne les avait pas rendus paralytiques et muets.

– Il faudra les descendre avec une grue.

– Non, on les jettera par la fenêtre.

À nouveau, l'hilarité, le corps qui semble se gondoler et cette sensation de jeunesse, d'éternité, la mort perdue en route comme une valise mal arrimée sur le porte-bagages d'une vieille guimbarde.

– Je ne sais pas où j'ai fourré la machine à barbe à papa.

Elle avait eu cette lubie de donner à notre salon un parfum de fête foraine.

– Elle est dans le placard des toilettes.

J'avais été obligé de la démonter pour pouvoir la ranger. J'ai étalé les pièces sur le tapis. Je ne me souvenais plus de la manière dont tout ce fatras était goupillé. Je l'ai jeté à la poubelle.

– Pas de barbe, ma chère.

– Nenni, mon ami.

Nous nous sommes allongés tête-bêche sur le canapé, tenant chacun fermement les pieds de l'autre pour ne pas tomber. Un rire comme un ouragan dont nous redoutions qu'il ne nous emporte. Ma femme m'a dit par la suite qu'elle avait craint de voir se rouvrir la cicatrice de la césarienne subie pour la mise au monde de notre dernier-né. Quant à moi, j'entendais déjà mon cardiologue dire à mes enfants que j'étais réellement mort d'avoir trop ri, comme d'autres d'avoir exagérément pleuré.

– L'infarctus guette davantage encore le gai que le désespéré.

Le rire s'est achevé dans un hoquet. Nous sommes revenus à nous essoufflés. Nous avons rejoint la cuisine en cahotant tandis qu'au-dehors une aube triste commençait à éclaircir le ciel.

– Nous avons grand besoin d'une tasse de café.

– Pourquoi ne pas nous être portés acquéreurs d'un percolateur ?

– Je vous le demande.

Des paroles anodines, mais nous voilà à nouveau foudroyés. Un rire inextinguible qui nous aurait emportés si un terrible grondement n'avait pas eu sur nous l'effet d'une douche glacée.

– Tu entends ?

– Ce doit être un orage.

– Le bruit provient de l'intérieur de la maison.

Un déferlement dans l'escalier qui rappelait en effet le vacarme du tonnerre. Une cataracte humaine, une horde de descendants et de pièces rapportées envahissant l'entrée, le salon, la cuisine où ils nous coursaient comme du gibier.

Un phénomène d'hystérie collective dont j'avais entendu la description dans ma jeunesse de la bouche d'un formateur qui nous inculquait des notions de psychologie pour obtenir la reddition des clients pris d'un accès d'avarice au moment de signer leur chèque.

Une rancœur accumulée pendant la nuit. Leur cerveau reptilien s'était tout à coup déchaîné. Elle crevait de faim en eux la bête née pour remplir sa panse et survivre. Une ruée de batraciens, une déferlante de haine après une nuit de Noël qui s'était progressivement muée en veillée d'armes.

Se produisaient des scènes de razzia comme on en voit au journal télévisé quand la racaille envahit Paris. Les cadeaux écrasés, déchiquetés, balancés sur nous comme des pierres. Les frigos étendus de tout leur long sur le pavé comme des cadavres de gros messieurs. Les aliments dévorés crus, les têtes enfoncées dans les ustensiles où cuisait encore à feu doux le dîner du réveillon. Les bouteilles dont les pillards brisaient le goulot sur le bord de l'évier avant de se jeter dans la gorge le vin chargé d'éclats de verre.

Pour échapper enfin à cet odieux spectacle, en rampant sur le carreau souillé nous sommes allés nous évanouir dans le réduit où ma femme range sa provision d'éponges neuves et de produits ménagers. Mais ils nous ont tirés de notre abri, nous traînant par les pieds comme des vaincus, nous laissant pour morts au milieu du salon en miettes.

Le bruit de la horde quittant soudain les lieux en produisant un bruit d'évier rempli d'eau dont on enlève la bonde. Le pare-brise de la Mercedes éclaté avec la hache de la cabane à outils, des chiffons imbibés d'essence enflammée jetés sur les sièges. Leurs voitures qui démarrent en trombe tandis qu'explose la mienne.

Survivant, le coucou sonnait midi quand nous avons émergé. Un beau soleil éclairait les détritus, les meubles brisés, la friteuse dont l'huile répandue aurait pu ébouillanter notre chat s'il n'avait pas choisi de mourir de sa belle mort l'été précédent, notre vaisselle réduite en poudre et nos cadeaux défunts épars, gisant ici et là, à l'exception d'un petit drone en plastique rouge qui sans savoir ni pourquoi ni comment venait de décoller et nous surplombait en prenant des clichés du désastre.

Un appareil consciencieux et malin qui s'était échappé en douce de son emballage peu avant l'attaque. Pour ménager sa batterie, il avait accompli plusieurs vols de très courte durée, prenant en hâte des clichés, filmant à la volée, engrangeant dans sa mémoire assez de preuves pour envoyer aux assises notre famille de hooligans. Nous avons gardé pour nous ces images. Il nous arrive de les regarder les larmes aux yeux en nous tenant la main.

Nous nous sommes relevés. Nous avons fait quelques pas. Nous nous sommes regardés. Nous avons poussé un cri de frayeur, tant l'autre était sanglant et couvert d'ecchymoses. Un lendemain de bataille, quand des miraculés se relèvent d'entre les morts.

— Un joli Noël.

— Que nous n'oublierons pas.

— De sitôt.

Un petit rire triste partagé en bons camarades comme le dernier rataillon d'un festin ranci.

Nous sommes montés à l'étage. Ils avaient tapé des pieds avec tant de fureur que l'empreinte de leurs godasses était comme sculptée dans le bois du parquet. Aucune trace de dégradations dans les chambres. Ils avaient laissé leurs bagages. La salle de bains était inondée, tant ils avaient dû prendre de douches froides pour refroidir leur rage.

– En plus, les toilettes sont sales.

– Nous leur avions pourtant donné une éducation stricte.

– Oui.

Ici

Je me souviens de la gaieté, de matinées joyeuses comme des nuits d'orgie. L'insouciance m'a toujours manqué. La tristesse, je savais la chasser, la mater, la supporter sur mon épaule comme un sale petit oiseau dont faute de l'avoir tué j'avais cassé le bec.

L'amour, je lui pardonnais les ruptures et l'ennui de la vie à deux. Les enfants, j'en ai eu trois. Quatre, si j'en crois une maîtresse fréquentée à l'automne 1950 qui m'a harcelé en vain pendant des années afin d'obtenir une pension alimentaire pour un bébé né en juillet 1951 et mort d'une rougeole six mois plus tard.

Le désespoir est un sentiment étrange, continuel, un acouphène que toute sa vie on ne cesse d'entendre malgré les voix, les musiques, les bruits d'êtres vivants, de rochers dévalant, vacarmes d'orage, de tempête, qu'aucune pensée ne parvient à couvrir.

Dès mon adolescence, il m'a taraudé. Des banderilles sur mes flancs qu'il lançait comme un picador. Je ne pouvais rester couché et pas davantage assis ni debout sans être obligé de sautiller, sauter, courir. Un feu follet. Je devais réellement ressembler à une flamme avec ma tête embrasée. À cette époque, le désespoir était un fouet et moi l'âne qui trotte.

155

Quand j'ai atteint la trentaine, il a commencé à prendre comme moi un léger embonpoint. Une ombre de bedaine gonflait la veste du costume dans lequel j'enfilais chaque matin mon corps pour me rendre dans le grand bâtiment de la place de la Nation où j'exerçais mes fonctions de directeur financier d'une maison d'édition de livres scolaires.

Des journées durant lesquelles mon cerveau contenait un troupeau de personnages. Les uns évoquaient le chiffre d'affaires dont nous espérions tous voir les volutes grimper au firmament, les autres cavalaient à bride abattue vers un territoire de plages et de montagnes. Dans ma conscience multipliée, j'étais aussi une buée d'êtres des deux sexes et d'hybrides velléitaires dans un état de torpeur nauséeuse qui m'obligeait à sucer des tablettes contre la dyspepsie.

Je retrouvais ma famille à dix-neuf heures. J'aimais mes enfants et ma femme à la poitrine nichée dans un ample corsage sur lequel elle avait brodé mes initiales, avec dans son sillage deux fillettes et un petit garçon qui la suivaient fidèlement comme des canetons leur cane de mère.

Nous avions des dîners pleins d'entrain face à l'écran de télévision où nous voyions en noir et blanc d'autres familles manger leur repas du soir. Nous reconnaissions parfois notre table en pin verni, nos verres cannelés ou le plat surgelé dont une portion s'étalait sur notre assiette.

Nous nous moquions de ces mauvaises représentations de nous-mêmes. Au moment du dessert, certains soirs nos éclats de rire pulvérisaient la crème du gâteau dans l'atmosphère et l'épouse de se plaindre des murs mouchetés de chocolat et de fraise des bois.

Quand les enfants étaient couchés, chacun dans un fauteuil nous lisions un livre érotique. Après un ou deux chapitres nous allions en hâte faire l'amour avec nos visages rubiconds et nos corps brûlants. Une étreinte absolue dans laquelle nous nous disions après coup que nous avions fondu. Tant de plaisir que nous n'existions plus. Comme si la jouissance était de n'être plus.

Nous retombions sur le lit chacun de son côté. Elle s'endormait avec l'aisance des animaux et des bébés abrutis par une plantureuse tétée. Les insomniaques mariés sont bigames, l'insomnie est une épouse jamais satisfaite qui entend être honorée jusqu'à l'aube sans discontinuer. L'insomnie, du désespoir est le meilleur des nids.

Un désespoir sourd, un acouphène dominant le brouhaha des voix, des chaises raclant le sol, du bruit de la ville à travers les vitres. Un acouphène, parfois comme une sirène et des tambours de deuil, voilés, graves, comme une musique funèbre sans cordes, sans trompette, sans mélodie.

Lorsque les soirs d'été j'embrumais la chambre d'insecticide, j'enviais le sort des moustiques de ne point posséder assez de cerveau pour avoir un instant envisagé la fin de cette beuverie de sang chaud à laquelle se réduirait leur courte vie, de n'avoir pas connu dès leur sortie de la chrysalide cette obsession de la fin qui obscurcit l'existence.

Ils ont beau pousser, les enfants ne sont pas des plantes qu'on ficelle à un tuteur pour les empêcher de perdre le nord. Les enfants vous déçoivent, c'est leur fonction d'humilier ces géniteurs qui se sont crus Cronos et Rhéa engendrant Zeus et se retrouvent couple de palefreniers rafraîchissant leur litière et remplissant leur auge indéfiniment.

Les nôtres nous auraient cruellement déçus si nous nous étions fait la moindre illusion. Mon habitude du désespoir m'avait préservé de tout optimisme. Trois semaines avant de concevoir notre aînée, j'avais averti ma femme que nos enfants à venir ne seraient même pas une pâle copie des exemplaires dont nous aurions bien tort de rêver.

– N'attends pas grand-chose, tu n'auras rien.

– Tu crains l'avenir à l'égal d'un coup de pistolet.

– Je croyais que nous avions décidé de n'avoir plus aucune conversation abstraite.

Une résolution hélas jamais tenue. Nous passions d'entiers dimanches à pérorer sur l'absurdité de la notion de politesse dans les présupposés d'un ménage, de l'infiniment faible probabilité de l'existence des pluies sèches dont la radio parlait souvent à cette époque, du cercle dont nous espérions découvrir la quadrature pour obtenir médaille Fields et fortune.

Nous étions désabusés, fallacieux, ambitieux jusqu'à comploter un coup d'État au royaume des mathématiques. Familles et groupes de gens sont un feuilletage de personnalités, d'imbroglios, de drames, de fables dont ils sont les animaux. Ils sont variables, on ne pourra jamais les enfermer dans une histoire stable et rassurante.

Heureusement que la terre a des hommes. Grâce à nous, elle a la chance d'être vallonnée, montagneuse, couverte de plaines immenses, d'étendues d'eau douce, d'océans. Si nous ne l'inventions pas sans cesse en la nommant, l'inventoriant, en découvrant encore à l'occasion dans ses recoins des territoires inconnus, elle n'existerait pas davantage que si elle n'existait pas du tout.

Peu de gens se souviennent de nous. Ils passent leur temps à nous oublier, ne pas nous nommer, sitôt tombés dans leur mémoire à nous en expulser comme dossiers déclassés dont on n'a plus nécessité de garder la trace. Pour éviter encore vivants de disparaître, on doit faire l'effort de se souvenir de soi tout en vaquant, planifiant ses lendemains, élaborant des stratégies afin de ne pas perdre sa part de pain quotidien.

Pour m'être à force d'inquiétude trop souvent oublié, je ne suis plus aujourd'hui celui dont j'ai vécu l'enfance et la maturité. La vie m'a troqué contre un autre qui sans doute pareillement s'était déserté lui-même à force de manquer à ce devoir de mémoire que chacun se doit à lui-même.

En attendant, il nous fallait accompagner les gosses à l'école et les nourrir à force de repas préparés avec affection, amour, adoration, suivant les instructions du pédiatre. À l'en croire, les bons sentiments dont on les mêlait rendaient les protéines plus digestes et attendrissaient les fibres en épargnant à leurs jeunes boyaux les perverses coliques qui en font à l'âge adulte des rôdeuses et des satyres.

L'acouphène couvrait la rumeur de Paris. Plus rien ne circulait, ne marchait, ne prononçait la moindre parole. Les villes muettes sont mortes et bonnes à ensevelir. Un acouphène dont le morne bruit semblait parfois gagner la faculté de jeter un crêpe gris sur la réalité, il y a bien des couleurs criardes qui assourdissent.

Je n'entendais pas geindre les mioches les nuits d'otite,

ni ma femme me causant des fruits de saison, mes collègues de l'ascenseur chaotique, mes supérieurs de toutes ces primes et ces faveurs dont ils me priveraient à la prochaine incartade de mes prévisions de marges brutes qui depuis plusieurs mois se comportaient comme de mauvaises pythies.

La mort a une fréquence, certains la perçoivent des décennies avant sa survenue. Les autres se demandent pourquoi vous avez dans le regard cette flaque de brume et cette note inquiète dans la voix comme si l'angoisse vous pourrissait jusqu'au larynx.

Le temps allait son train. Tantôt il égrenait des secondes, tantôt des jours. Je me voyais changer de visage dans la glace du lavabo où je trempais chaque matin mon rasoir et d'un geste maladroit laissais tomber le peigne en tentant de faire une raie dans ma chevelure de plus en plus théorique à mesure des ravages de la calvitie.

J'ai vite atteint l'âge de cinquante ans. Le demi-siècle a ouvert la voie, ensuite ce fut un jeu d'enfant pour les soixante et les quatre-vingts printemps en quelques mois de me rejoindre. Un vieillard chauve aux rares poils blancs, aux hanches grasses, à la démarche lente et molle. Ce physique d'eunuque des andropausés.

Je n'étais pas coquet. Je portais sans complexe ce physique usé. Ma tête dégoulinante de chair blette, de rides, de taches, comme un chapeau élimé qui a au moins le mérite de garantir du soleil et des ondées. Quand on prend de l'âge, on découvre que le corps est un simple moyen de locomotion et le scalp un bonnet destiné à protéger le cerveau comme une culotte les lobes du fondement.

Mon entourage refusait de m'accorder la vieillesse. Ma

femme prétendait avoir conservé un air de jeunesse, mes enfants arguaient de leur petite taille et de leur adolescence encore à venir, quant au directeur du personnel, il me jetait hors de son bureau chaque fois que je venais lui annoncer mon intention de faire valoir mes droits à la retraite.

Mon âge insensé n'était qu'un symptôme de ma désespérance. Un symptôme dont personne ne pourrait jamais guérir le mal qu'il exprimait.

Je ne cessais de croiser mes obsèques. Chaque matin en me rendant au bureau je manquais de me faire écraser par le corbillard qui emportait ma dépouille. Un sobre véhicule bordeaux fileté de gris qui freinait au dernier moment, disparaissait dans le flot des voitures ou dévalait l'escalier d'une station de métro pour me faire croire à une hallucination.

Peu m'importait de périr écrasé. J'aurais accepté de ne plus exister, mais je craignais que la mort ne fût un piège tendu par la démence pour me jeter dans ses filets.

Au bureau, je butais contre le bois de mon cercueil abandonné au milieu d'un couloir ou sous un soupirail de la salle des archives et je devais faire rempart de mon corps afin que personne ne le remarque quand il trônait sur la table de réunion comme un ovni.

Le soir, c'étaient des agents des pompes funèbres de noir vêtus qui surgissaient à chaque coin de rue, apparaissaient sur le trottoir d'un boulevard, me poursuivaient comme une horde, cherchant à enfoncer leurs crocs dans ma silhouette à contre-jour de la lumière des lampadaires d'une fin d'après-midi d'hiver déjà plongée dans la nuit.

À la maison, pas d'emballage. Un décédé sans bière

recouvert du même visage que moi. Il était étrangement frétillant et se dandinait à battre les murs de ses flancs. Il me suivait jusque dans la salle de bains, grimpait avec moi dans le bac à douche, tombait comme une masse dans la baignoire à répandre sur le carrelage toute son eau.

S'il vous arrive un jour de vous côtoyer, vous vous apercevrez, tout laid, tout délabré, tout mal fichu que vous soyez, à quel point vous vous trouverez séduisant. Vous tomberez fou amoureux, vous éprouverez pour la première fois un désir fabuleux de posséder enfin l'être après lequel vous avez depuis l'enfance toujours couru.

Un cadavre encore agile qui me faisait fête comme un corniaud. Reposé par le trépas, il semblait de quelques années plus jeune que moi. Il était svelte, musclé, avec des fesses beaucoup plus fermes que les miennes, flasques comme de vieux coussins. Il était en outre légèrement plus beau, comme si je n'avais été qu'une maladroite copie de l'original après lequel je soupirais.

Nous nous plaisions, ne parlions guère que pour échanger des mots tendres et échafauder des rêves. J'ai connu avec mon cadavre de véritables histoires d'amour. Des histoires nombreuses, renouvelées, car chaque fois qu'il commençait à entamer un processus de décomposition, il laissait place à un remplaçant frais émoulu encore tiède et plus beau que tous ceux qui l'avaient précédé.

S'accoupler avec sa dépouille, voilà un inceste rare, délicieux, que sans le savoir chacun a effleuré. Ce clin d'œil que vous jettent les miroirs quand vous passez devant, ce sourire dans le reflet de votre visage alors que vous êtes ce matin-là triste à vous jeter tête la première dans le conduit du vide-ordures.

Mon cadavre n'était qu'un reflet. Il m'avait à ce point abusé que je lui trouvais la peau douce et croyais parfois l'entendre haleter comme un véritable amant. Quand je commettais avec lui l'adultère dans le lit matrimonial je préférais son odeur imaginaire et mauve de violette à la blanche senteur de lis que tête ronflante sur l'oreiller fleurait mon épouse dont je gardais une main dans la mienne pour éviter de lui mettre la puce à l'oreille.

Mes amours n'avaient été qu'un effet d'optique. On peut aimer un mort, c'est le souvenir d'un vivant, mais un reflet n'a jamais vécu, il est comme la peau tannée d'un animal imaginaire, d'un de ces mythes de Charybde, de Gorgone, de Cyclope ou de Scylla. Ce retour au réel m'a meurtri. Je me suis senti trahi, abandonné, rompu.

Il y a peu de différence entre un fiasco et un triomphe. L'échec n'empêche pas le bonheur. Il faut un peu de joie pour accepter d'exister et quand on a vécu aussi long-temps que moi on peut avoir la certitude d'avoir été un peu heureux. Seuls les sots se lamentent à l'idée qu'ils auraient pu l'être davantage. Ils sont pareils à l'avide que l'argent accumulé toujours attriste, tant il se croit veuf de tout l'or du monde.

Devait donc me rester dans les veines une dose de félicité qui me permettait de continuer ma route, même si la désespérance caille le sang, le rend grumeleux, acide, amer. Certains tentent de la calciner à l'alcool, de la blanchir à la cocaïne, de courir indéfiniment pour que les endorphines l'anesthésient. Rien ne réussit, tout lui fait profit.

Pareil au vent, le désespoir rend fou. Une douleur vive, perpétuelle, un pointillé de coups de couteau. La vie est lumineuse, ensoleillée à éblouir, les noirs sont infiniment noirs, les rouges saignent et toutes les images du réel sont des bêtes à l'abattoir. L'huile bouillante de la pensée et pourtant cette humeur glacée et cette mélancolie polaire.

Je craignais l'asile. La démence est un atroce châtiment qui punit au hasard coupables et innocents. Souvent mon épouse tirait le signal d'alarme.

– Je te sens fou.

– Je ne sens rien.

Nous avions décidé après un long débat de m'effrayer. Il fallait que la folie m'épouvante pour que bandant tous mes muscles j'expulse ses prémices avant de tomber dans son puits.

Main dans la main, chaque dimanche après-midi nous allions visiter un hôpital psychiatrique. Nous nous coulions dans le flot des familles venues voir un parent interné. Sitôt dans la place, je me mettais à trembler en reconnaissant cette odeur d'incohérence empuantissant les couloirs comme si les égouts de l'établissement en étaient emplis et que sous la pression de toute cette absurdité un tuyau se soit rompu.

Il se trouvait toujours un malade solitaire pour nous attraper, nous pousser dans la salle où il avait ses pénates et nous jeter violemment sur son lit. Il nous maintenait par la seule pression des deux faisceaux de son regard effilés comme des aiguilles dont l'un après l'autre il nous chatouillait la carotide.

Il finissait par pénétrer nos chairs, nous injectant son venin. Quand en définitive une escouade d'infirmiers le neutralisait, nous partions de guingois sans plus rien comprendre au monde, dansant dans les escaliers et donnant des coups de tête aux pavés. Les rues subissaient le passage de deux êtres zigzagants, poussant des cris inarticulés et de grossières injures à l'encontre de la logique et de l'induction.

Malgré tout, mon épouse tenait à ce que nous persistions à pratiquer la visite des fous. Elle était persuadée qu'à force d'être inoculé je finirais tout à fait vacciné contre l'aliénation.

Elle exigeait de m'accompagner.

– Comme je partage ta vie, il n'est pas mauvais pour moi d'être protégée moi aussi.

Par souci de prophylaxie, nous emmenions certains dimanches les gosses avec nous.

– Rien ne serait pire que de devoir gérer un trio d'enfants cinglés.

Parfois nous traversions sans encombre les corridors. Nous montions les étages, empruntant l'ascenseur, l'escalier, le monte-charge. Nous rencontrions des évadés harnachés de la camisole de force encore usitée en France jusqu'au milieu des années 1960. Ils nous poursuivaient bouche écumante comme des manchots enragés.

Nous arrivions devant le portail à bout de souffle. Le gardien levait pour nous la herse, la laissant retomber sur les malheureux qui poussaient un hurlement de loup pris au piège.

Sur le chemin du retour ma femme me chapitrait.

– Tu veux finir dans cet état ?

Je faisais non avec la tête.

– Alors, accroche-toi à la réalité par les poignées du bon sens.

Je me couchais tôt ces soirs-là, penaud, inquiet, espérant un sommeil opaque, craignant les rêves fantaisistes trop enclins à malmener le réel.

L'acouphène, un bruit fictif, sans source, qui ne provient de nulle part. Une trombe qui finit par faire voler en éclats la réalité. Quand l'imagination a démasqué le réel, l'imaginaire devient tangible, solide, constructible, habitable comme un logement bétonné.

Ma vie d'autrefois s'est effondrée. J'en suis sorti comme un poussin de sa coquille brisée. Nu, frigorifié, je me suis réfugié dans un autre homme qui avait dû prendre la fuite, laissant derrière lui sa carcasse, son passé et ce goût particulier, intime, unique, que la vie laisse à chacun sur la langue.

Je n'avais pas vécu le moindre fétu de son enfance, de sa jeunesse, de sa vie d'homme déjà vieux. C'est le passé qui vous embarque vers l'avenir, il n'est guère de futur qui ne puisse s'en déduire rigoureusement. Je suis devenu la victime d'un destin dont je ne pouvais infléchir le cours. À force de lui opposer l'inertie, il a ralenti sa marche et a fini par s'immobiliser au beau milieu d'un paysage qui peu à peu s'est lui aussi figé.

À présent, mon âge doit être vraiment exagéré. Quand la maturité laisse place à la caducité, s'attarder devient abusif, mais la vie est une cuite dont on veut indéfiniment boire le dernier verre avant de rentrer se mettre au lit.

Je ne suis plus là-bas avec ces mioches, cette femme, ce travail de chiffres, je vis ici.

Ici, il n'y a jamais de vent. Les lointains semblent avoir été peints au temps des impressionnistes et n'avoir pas été modifiés depuis. Il y a un lac sans vagues, sans remous, sans la moindre risée. La ville est petite, une miniature, des maisons, des commerces, un opéra comme une boîte à musique depuis toujours muette, les pieds des chaises du square semblent s'enfoncer si loin dans la terre que l'idée saugrenue de les déplacer n'existe pas.

Je ne vis pas entouré d'un jardin, une de ces auréoles de gazon et d'arbustes parfois percées du trou bleu d'une piscine dont rêvent les familles pour dérouler leur progéniture le week-end comme une descente de lit devant un barbecue où se brûlent les chiens et les parents bêtes.

Autour de la maison, un cercle cimenté, devenu bistre avec le temps, couleur de cerne. Des voitures garées en désordre, des modèles vieux de trente, cinquante années. Près d'un poteau orphelin à l'air trop abruti pour avoir jamais été relié à un réseau, un paquet de bicyclettes sous une coque de rouille, de cailloux, de mauvaises herbes.

Ma maison est de la race des immeubles rase-mottes. Trois étages avec deux petits logements à chacun des niveaux. Des appartements aux habitants à la verticale, l'horizontale, à l'état de ligne brisée sur un siège, certains agenouillés au milieu d'une prière. Une épaisse couche de poussière couvrant les visages comme de mousse ceux des statues peut-être échouées au fond du lac sans vagues.

Il y a du monde dans l'escalier. Une famille revenant de vacances, chargée de valises, de cabas, d'un panier clos avec un hamster dedans, d'un filet à papillons tenu fermement comme un fusil par une main d'enfant. Ils sont poudreux de la farine de plâtre tombée du plafond avec le temps.

Le temps. Il y a partout du temps. Il ne passe pas, il pleut, il neige, il s'accumule, forme d'invisibles congères. Il existe peut-être des Inuits capables de construire des igloos avec ce genre de matériau. Le temps comme un abri, la vie toujours en train de recommencer dans chaque parpaing.

Je ne vous ai pas causé du ciel plaqué au-dessus du toit d'ardoises. Une étendue d'une teinte indéfinissable faite de la couleur du soleil, du gris des jours maussades, de la clarté des nuages de fin d'été, de la pénombre des orages, du noir de la nuit, du blanc de la lune, des points dorés des étoiles et des astres lointains.

Une couleur immobile comme le reste. Jamais la moindre nuance nouvelle, même si on la croit plus sombre à mesure qu'avec les années baisse la vue. La lumière vient d'on ne sait où, tant ce ciel est plein comme un mur, opaque, sans aucune lampe à l'est, à l'ouest ou dans l'entre-deux.

Ce n'est pas le ciel d'un chapiteau de cirque dont les gens seraient les acrobates figés ou les spectateurs d'un spectacle évaporé. Je n'ai jamais vu de projecteurs braqués vers le ciel qui renverraient une sorte de réverbération trop diffuse pour faire une ombre.

Des bébés, la gueule ouverte pour hurler, bâiller, roter de joie. Ce sont des jumeaux couchés dans un berceau à deux places au centre d'une chambre du rez-de-chaussée. Le temps les a recouverts d'une chape de cristal. Ils sont nets, d'une fraîcheur de vivants prêts à continuer à vivre avidement si d'aventure un sortilège les catapultait loin d'ici.

Je suis le terreau dans lequel a poussé ce paysage. Je suis l'horizon, la fleur qui pousse déjà séchée par les années, le vieillard recroquevillé, la femme placide dans le ciel aux lèvres cirées, luisantes, rouges comme des cerises glacées.

Il y a un mort au deuxième étage qui attend son enterrement effondré dans sa bière. Un homme, une femme, un corps sans dimensions qui pourrait être celui d'un éphèbe, du fœtus sacré d'un dieu avorté.

Je ne me crois pas. Depuis longtemps, je ne me crois plus. Je ne saurai jamais si je mens, si je ne suis pas assis sur le bord du lit où je suis allongé, grand-père écoutant son grand-père lui raconter une histoire d'ogre, de chaperon, de bois dormant. Une histoire pour le bercer, afin qu'il glisse peu à peu dans la mort comme un petit garçon dans le sommeil.

Le troisième étage est gai. Dans les chambres, les gosses font la nouba. Ils mangent des gâteaux fourrés, jettent des confettis en vidant au goulot des fillettes de Coca-Cola. Dans le corridor étroit, un couple illégitime s'embrasse grotesquement derrière le rideau de la porte palière.

Le salon est en fête, des jeunes gens dansent, des mûrs, des vieux, une vieillarde enlace de ses bras grêles un valseur transparent. Contre un mur, un grand buffet chargé de canapés multicolores, jambon rose, truffes noires et caviar gris. La musique s'échappe d'une guitare pincée par un garçon, une fille, un humain recouvert comme tous les autres d'une couche de sédiments qui les rend silencieux, invisibles et oblige à les supposer.

Il y a des caves. Pas de rats, une seule souris en train de sauter par-dessus un piège où elle a vu agoniser sa mère le mois précédent. Des cartons pleins de vaisselle ébréchée, de bibelots qui à l'abri des regards ne souffrent plus d'être si laids. À travers le hublot de la chaudière, une flamme au garde-à-vous qui semble ne même plus rêver de quitter un jour le froid glacial de l'immobilité.

En regardant la façade, on s'aperçoit que volets et fenêtres ne sont ni entrouverts ni fermés ni ouverts. Une façade absurde dont on peut douter, chaque brique comme un sophisme. À quelques mètres, ce porche aberrant avec son air de dire oui de loin et non merci quand on l'approche.

Souvent il me semble que l'acouphène s'est dissipé. Je ne dois plus avoir l'ouïe assez fine pour l'entendre. La vieillesse n'est pas un remède au désespoir, mais elle l'épuise. Il est toujours là, mais fatigué, flétri.

Il revient parfois, d'autant plus furieux qu'il est conscient de vivre un de ses derniers sursauts. Il gronde, une furie, un séisme, mais c'est son odeur qui m'insupporte. Celle des fous, des fins du monde, l'odeur du métal des lames, des balles, du chanvre des cordes dont se pendent les forcenés.

Je suis situé au premier étage. Vous pouvez me voir dans la cuisine. Des yeux rendus vitreux par d'anciennes pluies qui ont laissé des traces de calcaire sur les pupilles, une bouche depuis longtemps jamais embrassée, un corps posé sur un tabouret comme une jarre.

La mort oubliera d'éteindre le dernier quinquet de ma conscience, d'en souffler l'ultime flammèche. Elle m'abandonnera comme le tortionnaire un blessé moribond dans un charnier où il geint à trop bas bruit pour qu'on l'entende agoniser. Je serai le Juif errant immobile.

L'amour d'une mère

Mon lit me survivra. On m'arrachera à lui pour m'allonger dans le cercueil. Je laisserai derrière moi mes commodes Louis XV, ma salle à manger en ébène incrustée çà et là de perles, d'ivoire, de piastres ottomanes, ces eaux-fortes, ces sanguines, ces gravures polychromes du XVIIIᵉ, sans parler du portrait de ma fille à deux ans dessiné par un descendant de Goya sur une nappe de restaurant ce jour de juin 1969 où il déjeunait à quelques tables de nous. En sortant, il me l'a glissé dans mon soutien-gorge comme un billet doux sous le regard de sa femme en courroux.

Moi dont la frugale alimentation est constituée de crudités et de laitages, je laisserai aussi la luxueuse cuisine payée sur ma cassette à prix d'or pour fêter mes soixante-quinze ans. Un robot ménager multifonction issu de la technologie spatiale, des casseroles laquées, un piano de restaurant gastronomique, un réfrigérateur américain vaste comme un vestiaire, un pavement marron glacé du ton exact des yeux de mes enfants qui ont eu le bon goût d'hériter de mes iris plutôt que de ceux de leur père, d'un noir de tombe. Ce beau matériel afin de préparer les fabuleux repas que pour fêter Noël, Pâques,

171

un anniversaire, la pluie ou le beau temps, j'offre si souvent à ma descendance ingrate et tant aimée pourtant.

J'ai conseillé un jour à mes enfants de se partager équitablement mes affaires après mon décès.

– Vous demanderez à un professionnel d'attribuer une valeur à chaque objet. Vous ferez des lots, vous les tirerez au sort. Avec mon frère, nous avions tiré dans un chapeau les meubles de maman. J'ai eu la chance de voir tomber dans mon escarcelle ce fameux guéridon en bois de santal auquel je tiens comme au cinquième rejeton que je n'ai jamais eu. À qui reviendra-t-il demain ? C'est le sort qui vous le dira.

– Que veux-tu qu'on fasse de tes meubles ?

– On en a déjà, des meubles.

– De toute façon, on n'a pas la place de mettre tout ce fatras chez nous.

Mes trois fils m'avaient blessée, mais c'est ma fille, une perche de trente-neuf ans déjà usée par une vie de patachon, qui m'a donné le coup de grâce.

– On vendra tout.

– Je n'aurais jamais imaginé qu'à ma mort mes enfants me tueraient une seconde fois.

– Enfin, maman.

J'avais assez de sang-froid pour n'en rien laisser paraître, mais intérieurement la peine me fissurait.

– J'ai eu la générosité de faire quatre enfants. À soixante-dix-neuf ans, je me retrouve aussi seule qu'une nullipare.

– C'est quoi ?

– C'est bizarre comme mot.

– D'où tu le sors ?

– Qu'est-ce que ça veut dire ?

– Vous n'avez qu'à regarder dans le dictionnaire. Dire que je vous ai donné à tous une éducation impériale et que vous êtes ignorants comme des jardiniers.

Loin d'être penauds, je voyais bien qu'ils évitaient de se regarder pour ne pas éclater de rire.

– Je suppose que vous vendrez aussi l'appartement et la villa ?

– Il faudra payer des droits de succession.

– En plus la villa coûte une fortune à entretenir.

– Moi qui ai passé ma vie à rogner pour vous conserver un patrimoine. Si je n'avais pas eu d'enfants, je vous prie de croire que j'aurais bradé meubles et immeubles. Mes bijoux seraient partis en salle des ventes. Je n'aurais pas non plus perdu mon temps à aller deux fois par semaine chez le coiffeur pour vous faire honneur. Et la chasse aux calories superfétatoires ? Les grossesses ont failli me rendre obèse. J'ai dû suivre toute ma vie un régime draconien pour vous éviter la honte d'avoir pour mère une dondon. Et ce cancer du sein ? Cette chimiothérapie qui m'a épuisée ? Ces séances de rayons ? Et pour couronner le tout, cette opération mutilante ? C'est pour vous conserver une maman vivante que je me suis soignée. Il aurait été beaucoup plus facile pour moi de me bourrer d'analgésiques et de me laisser crever à petit feu. Vous voulez vraiment que je déboutonne mon corsage ?

– Non, je t'en prie.

– Que vous voyiez enfin ma cicatrice. La pudeur ? Mais l'appas a disparu, c'est comme si vous me discutiez le droit de vous montrer mes mains nues.

– S'il te plaît.

173

J'ai ouvert la bouche. J'ai martelé mes dents du bout des ongles.

– Et ça ? Vous croyez que je suis assez frivole pour avoir dépensé l'année dernière trente mille euros d'implants pour le plaisir ? Je l'ai fait par amour de vous afin qu'aucun de vous ne me voie jamais sans dents.

Ils me tournaient tous le dos. Je les entendais pouffer.

– Vous pouvez rire. Je n'ai jamais vécu que pour vous. Même avant de connaître votre père, j'ai passé ma vie à me préparer à votre venue. Jamais une cigarette, pas d'alcool, pas de relations sexuelles avant le mariage pour ne pas mettre au monde des syphilitiques. Pas davantage de voyage en avion afin de ne pas risquer de mourir dans un crash et vous priver de l'existence. Et mes études d'infirmière ? Moi qui défaille à la vue du pus. J'aurais très bien pu m'en passer, mes parents étaient assez riches pour m'entretenir. Mais j'ai voulu pouvoir plus tard vous montrer que même une future mère se devait de décrocher un diplôme. Et si vous étiez nés handicapés ? J'aurais été bien contente alors d'être assez savante pour vous soigner.

Ma fille s'est permis une insolence.

– Avoir une mère comme toi, c'est le pire des handicaps.

J'ai toujours eu la main leste. Elle aurait eu la marque de mes cinq doigts sur ses joues si elle n'avait pas eu le réflexe de se baisser.

– Voilà ma récompense, des enfants qui m'insultent.

Elle m'a toisée.

– Tu nous as vraiment fait une enfance de chiottes.

Je me suis vue contrainte de mettre les choses au point.

– Tu m'as haïe dès ta naissance. Quand après sept heures de travail la sage-femme t'a posée sur mon ventre, tu poussais des cris d'orfraie plumée vive et je devinais derrière tes paupières plissées ton petit regard maléfique.

– Pourquoi tu ne m'as jamais aimée ?

– J'avais de bonnes raisons pour ne pas t'aimer. Pourtant, je t'ai aimée quand même. Je me suis astreinte à te chérir, à te nourrir de mes mamelles comme une louve. J'ai eu du mérite, je puis te l'assurer. Tu avais la tétée goulue, on aurait dit que tu cherchais à arracher mon aréole comme une capsule pour me vider d'un coup de tout mon lait et aspirer la totalité de mes quatre litres de sang. Tu étais vorace, cruelle. J'ai toujours pensé que si tu étais née germanophone au début du siècle dernier tu aurais épousé Hitler.

– Tu es une nazie, tu as passé toute ma jeunesse à me torturer.

– Je t'ai éduquée de mon mieux.

– Tu me frappais, tu me privais de nourriture à la moindre incartade, tu m'attachais même dans mon lit.

– Parfaitement. Je n'avais pas à tolérer dans mon foyer tes vices de jeune putain.

– Je n'étais pas une pute. Juste une adolescente qui découvrait son corps.

– Tu étais une drôle d'exploratrice, tout juste bonne à battre le tam-tam avec ton index. Ton père était épouvanté quand je lui racontais ces fredaines. *Nous aurions mieux fait d'avoir un quatrième garçon. Il serait à l'heure actuelle au lycée Henri-IV et je te fiche mon billet que dans cinq ans il serait entré à l'ENA.* En fait d'ENA, tu n'as rien trouvé de mieux que d'offrir tes fesses à cet acteur de troisième ordre qui après t'avoir engrossée d'une fausse couche a eu la lâcheté de se tuer à moto au lieu d'assumer cahin-caha sa fonction de père.

Je me suis mise à rire moi aussi.

– Tu me diras que les fausses couches n'ont que faire d'un papa qui leur apprenne à faire du vélo.

Je me suis accrochée aux rideaux par peur de tomber à force de me désopiler.

– Tu es une mère pourrie.

Je riais trop.

– Si ça continue. Si ça continue, je crois que je vais faire pipi dans ma culotte.

Maintenant, cette idiote pleurait. Toujours sa façon de me gâcher le moindre plaisir, de m'empêcher d'oublier de temps en temps que j'ai mis au monde une véritable infection.

– Tu sais, ma fille, tu n'es pas un plaisir des yeux.

Elle a pleuré de plus belle.

– Tu ne vas pas me servir les grandes eaux chaque fois que je te fais une observation.

Au point où nous en étions, autant lui dire toute la vérité.

– Les filles un peu moches ont souvent un certain charme, mais le tien est discret. Si discret qu'on pourrait croire qu'en réalité tu n'en as aucun.

Elle jouait des jambes, des bras, du menton, tant elle joignait les sanglots à l'hystérie. Elle était drôle, je riais, c'est si profitable à la santé de rire à gorge déployée.

– Calme-toi, espèce de grande saucisse. Tu vas te noyer dans tes larmes de crocodile.

Mes fils ont eu pitié d'elle. Ils l'ont évacuée dans la chambre bleue pour qu'elle puisse se débattre à son aise sur un lit. Je me suis éclipsée, car cette pitresse m'avait réellement donné envie de faire pipi.

– Mes enfants, quelle partie de rire.

Ils me faisaient la tête. J'ai senti qu'ils m'en voulaient de m'être moquée d'elle.

– Vous avez toujours eu un faible pour votre sœur.

– Maman, tu as exagéré.

– Exagéré ? Je ne suis pas une menteuse. Je vous ai toujours élevés dans la haine de l'hypocrisie. Vous voyez aussi bien que moi qu'elle a un visage répugnant, avec ce nez en pomme de terre, ce front bas, cette bouche en fente de tirelire. Sans compter sa peau jaune hépatite avec ces cicatrices d'acné, une vraie peau d'omelette. Et son corps de maigre ? Une ficelle. Même son squelette est grêle et semble perdre du volume chaque année. Mon devoir de mère est de la ramener à la triste réalité.

– Elle est foutue de pleurer pendant deux jours.

– Libre à elle de s'enlaidir encore davantage, si tant est que cela soit possible.

– Parle plus bas, elle risque de t'entendre.

Il était loin à présent, mon fou rire. La démagogie de mes garçons m'avait enragée.

– Qu'elle m'entende, cette Marie-couche-toi-là. Je déteste ce genre de femelles qui jettent leur corps en pâture sans aucun respect pour leur mère qui les a portées neuf mois comme si elles étaient la huitième merveille du monde.

– Calme-toi, maman. Essaie d'être un peu indulgente. En ce moment elle va mal, elle est sous antidépresseurs depuis trois mois.

– Ma fille est donc folle. J'ai enfanté une catin folle. Jamais je n'aurais dû faire une fille. Je suis bien punie de n'avoir pas refusé les avances de ton père dans la nuit du mardi au mercredi de la première semaine du mois de janvier 1975. Si nous avions attendu le lendemain pour nous accoupler, j'aurais peut-être gagné un autre mâle.

Une idée atroce m'a traversé l'esprit. Un instant je me suis tue, frissonnante.

– Il est vrai que j'aurais pu aussi perdre à quatre reprises, me trouver aujourd'hui à la tête d'un poulailler. En réalité, je ne peux que remercier Dieu de m'avoir malgré tout accordé trois garçons.

J'ai fait un furtif signe de croix. Ils ont souri comme un trio de païens.

– Il me semble cependant que je vous ai enseigné la crainte de Dieu ? Des années de catéchisme, de confessions, de jeûnes, de chemins de croix le vendredi saint et vous voilà en route pour l'enfer ? L'exemple de votre sœur ne vous suffit donc pas ? Dieu lui inflige la damnation sur terre et Lucifer l'attend depuis sa naissance comme un cuisinier la livraison d'une dinde à rôtir. Vous l'aimez au point de vouloir la rejoindre ? De servir au diable de chapons ?

– Maman, je t'en prie. Ne te mets pas dans des états pareils.

– Tu m'en pries ? Ce n'est pas ta mère qu'il faut prier, c'est Notre Seigneur. Confesse-toi, pendant qu'il est encore temps. Dans Sa mansuétude, Il t'absoudra peut-être. Je sais hélas ce que Dieu me réserve en arrivant aux portes du Royaume. Pour m'apprendre à procréer des pécheurs, j'écoperai de trente mille ans de purgatoire. Belle récompense pour une mère qui s'est sacrifiée toute sa vie.

Je me suis allongée sur la méridienne. Le chagrin m'épuisait, je sentais mon sang cailler dans mes veines.

Les enfants sont la croix des mères. Nous sommes des croisées sans Graal, sans espérance, sans armure, auxquelles la nature a refusé le glaive, avec notre masque de grossesse en guise de heaume, notre tendresse comme un bouclier trop souvent transpercé par les flèches de ces anciens fœtus devenus de rudes renégats prompts à nous ouvrir le ventre à la manière du soldat romain qui a planté sa lance dans le Christ déjà exsangue.

Je ne me suis jamais accordé aucune importance. Quand on a des enfants, on s'efface comme le croquis d'un projet enfin réalisé. Une mère est un passage, un sentier, une route destinée à être foulée par le lourd convoi de sa descendance. Les nullipares sont des monstres, il aurait mieux valu que leur mère les étouffe dans leur berceau. Les femmes ont été inventées pour accoucher.

J'ai toujours refusé d'exister, de monter sur scène. J'ai accepté avec résignation de n'être que l'humble machiniste du spectacle de la maternité. J'ai éteint moi-même tous les projecteurs qui s'oubliaient à jeter leur lumière jusque dans les coulisses où je trimais pour le bonheur des miens.

Elle est une torture, la vie d'une mère. Les enfants sont des fers rougis au feu qui vous brûlent les chairs. Qui osera parler de l'humiliation d'une génitrice le jour maudit où ses fils lui présentent en fait de bru une truie sans fortune et sans grâce ?

Pourtant, j'ai toujours respecté leurs choix. Plus tard, je n'ai pas fait la moindre réflexion sur la mention passable que méritait leur progéniture. Ces petits-enfants que j'ai gardés toutes les vacances jusqu'au jour où on m'en a privé sans sommation.

– Il est rentré avec une marque sur le front.

– Je ne peux pas lui passer ses quatre volontés. S'il n'avait pas gigoté comme un pantin au premier coup de ceinture, je vous l'aurais rendu avec une frimousse de bébé Cadum.

– Vous êtes une vieille sadique.

– Je vous interdis de parler de la sorte à la mère de mon fils.

Je ne pouvais certes pas compter sur lui pour me défendre. Pressentant une scène, il s'était replié dans la salle de bains.

– L'éducation est un chemin aride, c'est grâce à mon acharnement que votre mari est devenu l'homme qu'il est.

– Vous êtes dégénérée.

– Je suis une simple maman qui n'a jamais écouté que son amour. Je vous ai donné un homme magnifique que vous avez réduit en dix ans de mariage à l'état de chiffe.

Peu m'importait qu'à la suite de cette algarade aucune de mes belles-filles ne m'inflige plus à l'avenir la tâche peu ragoûtante de moucher ses marmots. Que ces petits nigauds aillent à leur perte. Quand ils seront adultes, il sera temps pour moi d'accomplir mon devoir de grand-mère en allant deux fois par semaine les visiter à la prison où on les aura incarcérés pour vol de voiture, hold-up ou assassinat.

– Nous nous reverrons au parloir.

J'ai claqué la porte sur la tête porcine de ma belle-fille effarée.

Ma fille venait de partir sans un au revoir. Elle allait sûrement passer la nuit dans un bar louche à assouvir ses vices bestiaux. Je regrettais le temps où les dépravés tombaient comme des mouches, gangrénés par ce virus tombé sur l'humanité comme l'ange exterminateur. Au lieu de le laisser nettoyer la planète, les médecins ont eu l'impiété de lui couper les ailes.

J'aurais préféré qu'elle soit emportée par cette pandémie plutôt que de la voir aujourd'hui s'étioler sous les coups de boutoir de la mélancolie qu'elle a gagnée à force d'alcool et de passes à l'œil.

Ses frères s'étaient installés en brochette sur le canapé. J'aime les contempler loin de ma fille et des familles bancales qu'ils ont créées.

– Comme vous êtes sereins quand elle n'est pas là.
– Pourquoi tu lui as dit qu'elle était laide ?
– Elle en vaut d'autres.
– Son visage est convenable.
– Allons donc.
– Tu l'as toujours dénigrée.

Quelle importance ? Une femme qui galope à bride abattue vers la ménopause sans aucune perspective d'enfantement mérite la haine de toute la population des mères. Je ne suis pas fière d'avoir élevé une fille qui avant de se tarir à jamais accouchera chaque mois du vide.

– Mes enfants, le vide a la couleur du sang.

Il était dix-neuf heures. Leurs épouses ne cessaient de les appeler. Ils ont consigne de ne prendre aucun appel en ma présence. Ils regardaient néanmoins leurs messages à la dérobée.

– Vous me prenez pour une myope ?
– Elles ont quand même le droit de prendre de nos nouvelles.

Ces péronnelles me craignent. Je les ai précédées

auprès d'eux et personne ne me remplacera. Je les avais prévenues dès le jour des présentations.

– Le divorce existe, ne l'oubliez pas.

Le divorce est banni par l'Église, mais les annulations de mariage en cour de Rome ne sont pas faites pour les chiens. Un mot de moi et tous mes fils abandonneraient leur femme.

Si je n'ai pas encore usé sur eux de mon influence, c'est qu'une fois la séparation consommée ce serait à moi qu'incomberait la tâche de gérer leurs mioches les jours où ils en auraient la garde. Or je jouis fort de n'avoir plus aucun contact avec ces mauvais sujets dont l'odeur de belle-fille me soulève le cœur.

Certains ont en outre hérité de leur chevelure filasse, de leurs oreilles décollées, de leurs orteils à la grecque, d'autres de leur caractère sournois ou de leur intelligence de souris. Il y a aussi ces brebis galeuses à qui elles ont donné une vulve, en lieu et place du pénis dont j'ai gratifié tous mes enfants, à la regrettable exception de ma fille. Mais un jour les avancées de la science permettront de prouver qu'elle est le fruit d'un embrouillamini chromosomique dans lequel je ne suis pour rien.

– Nous allons dîner.

– On m'attend, nous avons des amis ce soir à la maison.

– Tais-toi.

– Mais, maman.

– Je vais vous préparer des sandwichs au poulet.

Une gâterie dont autrefois ils étaient fous.

– Au dessert, vous aurez un yaourt saupoudré de chocolat râpé.

– Je n'ai pas très faim.

– Moi non plus.

– Si on allait au restaurant ? Je ferai une note de frais sur ma boîte.

– Pas d'histoire. Tout le monde à la salle à manger.

Ils n'ont pas cessé de regarder l'heure en se nourrissant. La prochaine fois, je mettrai un panier dans l'entrée où en arrivant ils déposeront montre et portable.

– Je reviens aux meubles. Puisque vous n'en voulez pas, je vais les bazarder dès demain. Grâce à vous, j'aurai une fin de vie spartiate dont il me sera tenu compte là-haut. On m'épargnera peut-être la moitié des années de purgatoire que je vous devrai.

Ils ont cru que je plaisantais.

– Tu ne vas pas vivre comme une femme des cavernes.

– Comme une clocharde dans tes deux cents mètres carrés en plein Passy.

– Quand on viendra te voir, on apportera notre chaise ?

– Vous connaissez bien mal votre mère. J'ai toujours eu l'ascèse chevillée au corps. Je n'avais pas huit ans que le martyre m'attirait déjà. Au pensionnat des Ursulines, j'avais des moments d'extase en dévisageant sainte Blandine enroulée dans un filet et jetée dans les airs par une bête cornue sur une de ces images pieuses dont les religieuses parsemaient nos missels. J'avais avoué mon rêve à mon confesseur. *Hélas, ma mignonne, on ne persécute plus les croyants.* J'ai fini par me résoudre à choisir le martyre quotidien de la maternité. On souffre moins intensément chaque jour, mais c'est interminable comme un supplice chinois. À mon âge, je peux enfin envisager de me dépoitrailler de ce cilice pour me consacrer égoïstement à mon salut. Une fois mon mobilier vendu, je ferai supprimer l'électricité et obturer l'alimentation d'eau. Je casserai toutes les vitres afin de connaître l'hiver la morsure du froid. Quant aux volets, plus de volets. Le soleil d'août me cuira comme paire d'œufs sur la poêle.

– Mais, maman.

– Enfin, arrête.

– Tu ne feras jamais ça.

– Je le ferai. Je me ferai aussi enterrer à la fosse commune. Je ne demande pas de masque mortuaire, pas une seule fleur, pas davantage d'avis de décès dans *Le Figaro*. Vous ne me pleurerez pas, je vous l'interdis. Vous ne vous ferez pas plus l'écho de ma mort que de celle d'une coccinelle. Je vous ordonne de m'oublier, de ne même plus vous souvenir que j'ai un jour existé. Les étoiles ne sont pas enterrées en grande pompe, que je sache. Quand leur lumière ne parvient plus à la Terre, les astronomes les barrent sans état d'âme de la carte du ciel. Ma vie aura été un éclair dans l'obscurité sidérale, un geyser de clarté destiné à n'éclairer que vous. J'aurai été votre soleil.

Ils pouffaient en savourant les dernières cuillerées de leur yaourt.

– Je suis contente que vous vous moquiez de moi. C'est l'apogée pour une mère d'être la risée de ses enfants.

Ils cherchaient à s'excuser, mais leurs mots se mêlaient à l'hilarité et au yaourt.

– Je souhaite aussi que vous cessiez immédiatement de m'aimer. C'est un poids trop lourd pour des enfants, tout cet amour qu'ils éprouvent pour leur mère. Donnez votre amour à d'autres que moi, faites-en profiter les réprouvés, les esseulés, les affamés de toutes sortes. Lancez-vous dans la charité moderne, aimez les Jaunes, les Noirs, les Bistres, les éclopés, les analphabètes et les mongoliens.

Tous ces pauvres gens qui n'ont pas eu comme vous la chance de m'avoir pour mère.

Ils partaient l'un après l'autre s'esclaffer dans le vestibule. J'ai hurlé dans le salon désert.

– Je n'existe plus, sachez-le. Je le sais, vous trouvez que c'est dégradant d'être né d'une mère. Réjouissez-vous à présent de n'en avoir jamais eu. Je me sacrifie une dernière fois, je vous fais serment que même soumise à la question extraordinaire je n'avouerai jamais avoir un jour été votre maman. Non contente de vous avoir donné le jour, je m'en retourne à la nuit. Je vous offre cette liberté qu'à aucun enfant mère n'a jamais donnée.

Ils sont revenus au salon, rouges et toujours riants.

– Quelle liberté ?

Une question qu'ils ont laissée tomber sur moi comme un rocher. J'ai porté la main à mon front pour essuyer métaphoriquement mon sang comme une suée. Je me sentais dans le même état d'hébétude que mon mari à l'instant où il jetait la dernière goutte de semence dans mes entrailles. Je devais avoir le même visage abandonné, un visage plaqué sur une tête qui ne semble plus être habitée par personne.

J'ai dû faire un effort pour leur répondre.

– Quelle liberté ? Je ne me souviens plus. Parfois, une autre parle en moi. Elle se sera trompée.

Je me suis effondrée dans un fauteuil. Je ne voyais plus clair, leurs voix me semblaient provenir du toit. Ils riaient sans se rendre compte de mon malaise.

Ils ont remis leurs pardessus. L'un d'eux avait un chapeau trop grand qui le coiffait comme une cloche. Les deux autres portaient des lunettes. Ils avaient l'air vieux, je ne me souvenais pas qu'ils aient déjà autant vécu. Sous la lumière du lustre dont une ampoule venait de claquer, de profondes rides grises salissaient leurs visages comme des traînées d'eau sale.

– Bonne nuit, maman.

– Bonne nuit, mes enfants.

Ils ne m'ont pas embrassée. Il y a longtemps que je leur ai interdit ce genre de pratique propice à la diffusion de germes délétères dont les bouches sont les terriers.

– Je ne vous raccompagne pas, je me sens lasse.

S'ils m'ont répondu, je n'ai rien entendu. Je me suis levée de mon fauteuil. L'appartement était plongé dans un silence de cave. J'ai entendu leurs voitures démarrer et tourner au coin de la rue.

J'étais engourdie, ma conscience de ouate dans une tête en carton. Je devais avoir été victime d'une infime attaque cérébrale, comme si mon amour maternel avait formé un grumeau fugace.

Je suis allée à la cuisine remplir de glaçons une taie d'oreiller. Je l'ai installée au sommet de mon crâne. Je me suis assise sur un tabouret.

Une femme solitaire, vieillie, bafouée, dont la quadruple maternité n'empêchera pas la mort de fondre un jour sur elle sans le moindre égard et de l'emporter.

Guérir les sobres

– On naît seul, cher monsieur. On meurt seul et certains naissent pour vivre seuls. Je suis célibataire, je n'ai pas eu d'enfants, je n'ai eu aucune relation sexuelle en quatre-vingt-six années d'existence. J'ai été successivement écolier, étudiant, ingénieur et depuis trente ans je suis à la retraite. Une vie banale, même si cette solitude qui aura été mon ombre tout au long de mon existence peut paraître excentrique dans une société où chacun semble destiné à s'agglutiner. Ne me demandez pas si je suis heureux. Autrement, je serai assez cruel pour vous poser la même question. Je continue à vivre et comme vous je n'ai pas envie d'arrêter. On bouge les doigts, on marche, on réagit aux lumières, on entend nettement des paroles ciselées et en se retournant on voit passer la queue de la comète du temps. On s'illusionne, on a besoin de se prendre pour un bœuf libre de quitter la bétaillère en cavalant quand il renifle l'odeur du sang de l'abattoir. Lorsqu'on est jeune, on est chaud, on bout. Après, la température chute peu à peu. À mon âge on sent tomber un à un les degrés, on se demande si ce sera demain qu'on se transformera en bonhomme de glace. On a le zéro en point de mire, puis on se dit qu'on sera plus coriace que l'eau et qu'on gèlera à moins

187

cinq comme le vin. On finit même par se prendre pour
un verre d'alcool et par s'imaginer qu'on attendra qu'il
fasse moins cent pour finir par être assez dur pour faire
un mort.

– Buvez un verre, vous avez l'air morose.

– Vous ne me trouvez pas gai. Mais c'est que justement
je n'aime pas l'alcool. Essayez donc d'être joyeux à jeun.

– Prenez au moins une bière.

– Je vomis la bière comme le reste.

– Vous n'avez jamais essayé de vous faire soigner ?

– Contre la sobriété, il n'y a pas de cure.

J'aime les conversations d'un soir devant un comptoir
de café à l'heure où les serveurs mettent les chaises sur les
tables avant de balayer et de fermer boutique. Des propos
qui ne laissent pas d'empreintes. Ce type ne retiendra
rien de mon histoire et moi je ne m'en souviens déjà plus.

Je suis rentré chez moi.

J'ai été marié, mes femmes sont mortes l'une après
l'autre. Trois exemplaires de mauvaise qualité, belles
mais frêles. Elles tombaient malades, on les remplissait
de médicaments, on leur enlevait des organes, on leur
en greffait d'autres et malgré tout les ingrates mouraient
sans égard pour les investissements consentis durant des
années par les organismes sociaux.

Tous les quinze ans, je suivais un de leurs convois
dans les allées du cimetière Montmartre. Elles reposent
dans la même tombe.

Un lointain parent dont je n'avais jamais entendu
parler a surgi l'an dernier pour faire valoir ses droits.

– C'est mon caveau de famille tout autant que le vôtre.

Trouvant l'endroit populeux il a exigé une réduction des corps.

– En tant que célibataire, je n'ai pas à pâtir de votre triple veuvage.

Elles reposent à présent en vrac dans le même ossuaire. J'ai demandé dans mon testament que mon squelette soit un jour mêlé au leur. On exauce rarement les dernières volontés des morts sans descendance. À ma connaissance, aucun de mes enfants n'a jamais dépassé le stade de gamète.

Je vais les voir chaque après-midi. Quand il pleut, par galanterie j'ouvre mon parapluie au-dessus de la tombe. En janvier dernier, j'ai étendu mon manteau sur la pierre pour les protéger du froid polaire qui régnait sur Paris. Je ne sentais pas le vent glacé qui s'engouffrait sous ma veste. Je n'éprouvais ni chagrin ni bonheur ni effroi. Il me semblait être à ma place, debout devant les vestiges de mes épouses, avec au-delà de la stèle un morceau de soleil qui m'éblouissait en minaudant derrière les verges des bouleaux et dans mon dos l'avenir prêt à me prendre, me posséder, la mort cet inévitable pays où on finit tous par aller se faire foutre.

– Vous allez vous enrhumer.

Des mots très audibles malgré le bruit de la circulation sur le pont qui surplombe le cimetière. Une voix de jeune fille.

– Tu vas attraper le mal de la mort.

C'est ce que je lui ai répondu. Une phrase d'autrefois. Dans mon enfance, mes parents l'utilisaient pour me signaler que j'avais oublié de boutonner mon paletot jusqu'au col. En ce temps-là, il aurait fallu une série d'improbables complications pour que de proche en proche j'atteigne cette extrémité. Mais à mon âge les rhumes peuvent tuer, comme n'importe quelle chiquenaude, une marche d'escalier mal descendue, mal montée, un battement de cœur en plus, en moins, un morceau de pain avalé de travers ou une de ces crises d'anorexie qui emportent les vieillards mélancoliques.

On est fragile quand on a consommé trop de temps, avalé les décennies à grosses bouchées, bu les années comme un trou, grignoté les secondes comme du pop-corn en regardant passer la vie, ce navet, ce chef-d'œuvre, ce palpitant thriller, ce film ennuyeux comme un documentaire sur le commerce du sable. Quand on a vécu.

– Je vous assure, remettez votre manteau.

Elle l'a posé sur mes épaules. Elle me donnait des tapes entre les omoplates pour me réchauffer.

– Enfilez les manches.

Elle a tourné autour de moi. Elle remuait la tête dans tous les sens pour essayer de capter mon regard. Je voyais son petit nez rouge, ses lunettes aux montures bleues avec de l'autre côté des verres des cernes noirs sous son regard brun.

– Allez, je vous en prie.

C'est rare une jeune fille qui s'intéresse à vous quand vous n'êtes plus jeune.

– Vous devriez venir boire quelque chose de chaud.

Je l'ai regardée. En définitive, je lui ai trouvé un gentil visage.

– Vous n'avez pas envie d'un grog ?

– Un grog ?

Drôle d'idée, je n'avais jamais bu de grog de ma vie.

– Vous aimez les grogs ?

– Non. Et vous ?

– Je n'en sais rien.

Elle est devenue soucieuse tout à coup.

– Vous ne vous souvenez plus de rien ?

– Si, mais pas des grogs.

Elle imaginait que l'hiver, c'était la boisson des vieux. L'été, elle nous voyait plutôt boire de l'eau sucrée, de la citronnade ou du sirop d'orgeat.

– N'oubliez pas votre chapeau.

Ma manie d'avoir toujours un feutre enfoncé sur le crâne. Une sale habitude qui m'avait rendu chauve dès trente-cinq ans.

– Vous n'auriez pas dû le poser sur cette tombe, ça porte malheur.

– Il fallait bien que je l'entrepose quelque part.

Elle me l'a mis sur la tête comme à un gâteux.

Nous sommes entrés dans un café. Le serveur a plaisanté.

– C'est ton papi ?

Elle a ri.

– Non, c'est mon nouveau fiancé.

– Tu finiras par t'envoyer des morts.

Ils faisaient comme si je n'étais pas là. On peut raconter des horreurs en présence d'un vieux comme d'un nourrisson qui braille dans son berceau. J'étais censé probablement ne rien comprendre. Ceux de ma génération ont à peine été informés du mode d'emploi de l'accouplement et ils ont eu le temps de l'oublier.

– Tu prends une vodka, comme d'habitude ?

– Et un grog.

Il a chuchoté à son oreille.

– Pour le vieux ?

Elle lui a répondu d'une voix tonitruante qui m'a fait sursauter.

– Oui, pour le vieux.

Elle a dû s'apercevoir que j'étais devenu un peu pâle. Elle m'a touché la main.

– C'est pour rire.

– Oui.

– Une plaisanterie de jeune.

J'avais envie de lui renvoyer à la figure une plaisanterie de vieux.

– Vos joues ressemblent à des fesses molles et vos yeux à des trous du cul.

Mais je me suis tu. Elle était sympathique, sa jeunesse était un défaut qui lui passerait.

– Vous savez, je n'ai jamais eu de grand-père.

Elle avait déjà bu trois vodkas.

– Moi non plus.

Des andouilles mortes à la guerre de 1914. De la viande patriote dont les coups de feu avaient contribué à la victoire et à nous donner la guerre de 1940 vingt et un ans plus tard. Je me suis toujours demandé pourquoi les poilus n'avaient pas été poursuivis à la libération pour crime contre l'humanité. Il aurait mieux valu se laisser envahir lâchement par les troupes du Kaiser plutôt que d'humilier les Allemands et les acculer à la revanche. À mon avis, le monde se serait volontiers passé de la Shoah.

– Vous habitez dans le coin ?

Elle cherchait sans doute un hébergement.

– Oui, mais j'ai mis une croix sur la vie sexuelle à la mort de ma troisième épouse.

– Et alors ?

– Si vous croyez que je vais vous nourrir, vous loger et vous donner de l'argent de poche en échange d'une hypothétique cajolerie, vous vous êtes trompée de paroisse.

– Vous allez quand même régler les verres ?

Elle a fait tinter dans sa poche ses dernières pièces de monnaie.

– Et la banque m'a repris ma carte de crédit.

J'ai payé. Je suis parti. Il bruinait. Arrivé devant mon immeuble, je me suis aperçu qu'elle m'avait suivi. Je la voyais dans le reflet de la porte vitrée. Je me suis retourné brusquement.

– Qu'est-ce que vous me voulez ?

– Vous parler.

– Je vous ai déjà dit que je n'étais pas à la recherche d'une prostituée.

– Je ne couche pas avec les vieux.

– Pas la peine alors de perdre votre temps.

– J'ai simplement envie de vous parler. Comme à un ami.

– Vous êtes bizarre.

Elle avait même l'air assez ridicule avec sa bouche ouverte, comme si la vodka l'avait asséchée et qu'elle cherchait à gober les chiches gouttes tombées du ciel.

– Allez, venez.

Elle a remonté à moitié sa mâchoire inférieure pour sourire.

– Asseyez-vous.

J'ai beaucoup de fauteuils dans mon salon, sans compter un vieux canapé en cuir vert mou comme une langue flaccide. Du temps où mes épouses recevaient, par volées de dix ou douze des centaines de culs avaient profité de tous ces sièges qui aujourd'hui doivent se contenter du mien. Je ne dis pas qu'ils se le disputent, les meubles ne sont pas jaloux.

– Je préfère rester debout.

– Voilà pour eux une occasion de perdue.

Elle n'a même pas cherché à comprendre ce que j'entendais par là. À partir d'un certain âge, les jeunes imaginent que les vieux perdent peu à peu le langage commun et parlent l'incompréhensible patois des hospices.

– Vous avez une terrasse ?

Elle a ouvert la porte-fenêtre.

– Dommage, cette pluie. Ce doit être mieux quand il y a du soleil.

– On se mouille moins.

Elle est rentrée, essuyant ses godasses sur le petit tapis persan.

– Vous avez de la vodka ?

– Cherchez dans la cuisine, vous trouverez sûrement de quoi compléter votre cuite.

Elle est revenue avec une bouteille de whisky. Elle a commencé à en boire des rasades au goulot.

– Vous auriez pu prendre un verre.

– Ne vous inquiétez pas, je vais la finir. Vous n'hériterez pas de mes microbes.

– Oh, vous savez, quand on est en pleine vieillesse on apprécie la moindre des compagnies, même celle des microbes, des bactéries, des virus et des vibrions.

Elle s'est essuyé la gueule d'un revers de main.

– C'est quoi un vibrion ?

– Un truc qui vibre. Une sorte de petit jouet qu'on essayait de me faire prendre pour un cheval quand j'étais mioche. On s'amusait d'un rien en ce temps-là. Au lieu d'aller au cinéma, on s'enfonçait la tête dans la cuvette des cabinets et pour me détourner de la masturbation ma mère me disait que j'avais entre les jambes une grenade dont mon sexe était la goupille. J'étais si terrorisé que j'ai attendu l'âge de dix-huit ans pour trouver le courage d'uriner.

– Vous rigolez ?

– En ce temps-là, le rire n'avait pas encore été inventé. La rumeur circulait qu'à force d'équations un savant était parvenu à obtenir un bâillement. On n'a découvert le rire qu'en 1950 et il a fallu attendre le printemps 1973 pour que le sommeil soit créé par Yves Saint Laurent.

– Vous êtes vraiment con.

Elle a ri. Elle a bu en apnée le reste de whisky.

Elle a vidé tous les fonds de bouteille. Elle a cherché en titubant un endroit accueillant pour s'affaler. Elle s'est endormie recroquevillée sur le canapé. Je regardais ses seins frémir dans sa soûlographie sans éprouver aucune nostalgie de mon désir perdu.

Une bouteille de bordeaux avait échappé au saccage. J'ai mangé du saucisson en lapant mon vin devant la télé. Je me soucie peu de la qualité des programmes, les émissions comportent toutes le même nombre d'images et je baisse le son jusqu'à ne plus percevoir qu'un murmure. Je ne comprends rien, mais je suis rassuré de ne plus entendre le silence, de ne plus le voir, de ne plus me sentir enfermé dedans comme dans un blockhaus. Le silence c'est moi, dans le silence je n'entends plus que moi. Ce soir-là, les images étaient plus rouges que vertes. Les couleurs ont leurs cycles et certaines hibernent pendant que d'autres ne cessent de jaillir sur tous les écrans de l'univers.

Le lave-vaisselle est en panne depuis quatre ans. Je le regrette toujours au moment de nettoyer mon assiette. Pourtant les tâches ménagères m'apaisent. En frottant, il me semble n'être plus que mes mains dans l'eau et même qu'elles existent à ma place comme deux poissons furieux dans la bassine de plastique orange où moussent les vagues d'eau savonneuse.

Elle n'avait pas bougé depuis tout à l'heure. Je suis allé me coucher.

La nuit, je dors vaguement. Une légère somnolence dans l'immobilité. J'aperçois sur le plafond des rais de lumière jaune ou blanche, selon la couleur des phares des voitures qui remontent le boulevard. Je me tiens en retrait dans le fond de moi-même, comme assis sur une chaise avec devant moi souvenirs et pensées que je laisse passer comme des moutons d'insomnie.

Je pensais à elle, un être vivant, chaud. Le lit comme un animal à sang froid, un vaste ventre d'iguane sur lequel je trouvais le moyen de transpirer à force de me retourner.

Je me suis levé. Elle a grogné quand je lui ai retiré ses bottes. Un soupir au moment où elle est tombée du canapé sur les coussins que j'avais installés sur le sol. Elle s'est laissé traîner en silence le long de l'étroit corridor qui mène à la chambre.

Je l'ai installée au centre du lit. Je me suis étendu à sa droite, à sa gauche, je me suis jeté comme une passerelle par-dessus son corps. Je me disais qu'il y avait forcément un moyen de s'unir à quelqu'un sans utiliser son appendice.

Je me suis réveillé à sept heures du matin avec cette sensation d'avoir vraiment dormi que je ne connaissais plus depuis mon dernier veuvage.

Elle était débraillée, mais pas dénudée. J'avais dû la remuer, la bousculer, sans oser la déshabiller tout à fait. Le temps m'avait rendu chaste. La chasteté répugnante, libidineuse, des vieux.

J'ai bu mon café en regardant le mur de la cuisine. Je voyais le reflet du lever du jour. Les années sont d'autant plus courtes qu'aucun événement ne les émaille. La rencontre avec cette fille était une aspérité, une pierre qui affleurait à la surface d'une mare de néant. Il n'y a pas d'eau dans le néant, mais j'emploie parfois de grands mots pour donner de l'importance à ma vie. D'autres s'inventent Dieu et s'imaginent avoir un jour une entrevue avec Lui alors qu'ils n'obtiendraient même pas un rendez-vous avec le maire de leur arrondissement.

Je suis retourné à la chambre. L'épisode avait assez duré. Je l'ai secouée. Elle a entrouvert la bouche, mais c'est à peine si son corps a frémi.

À midi, j'ai compris qu'elle était tombée dans le coma. J'ai appelé les pompiers. Ils m'en ont débarrassé. Ils avaient prévenu la police. J'ai passé l'après-midi au commissariat. Ils n'ont pas cru mon histoire. J'ai été relâché le surlendemain quand la jeune fille a été en état de confirmer qu'elle était venue chez moi de son plein gré.

Pendant mon incarcération le beau temps était sorti du bois. Par endroits le sol était gelé, étincelant. Le soleil rajeunissait le vieux cimetière, donnait au caveau un air de fête en jouant avec les anneaux en bronze doré des urnes de marbre que las de fleurir j'avais garnies de fleurs en plastique dont je m'étais aperçu un jour au crépuscule qu'elles étaient phosphorescentes. Un bouquet lumineux qu'il m'arrivait de venir voir en pleine nuit du haut du pont.

Encore cette sensation d'être sodomisé par la mort. Un froid pénétrant, une douleur, l'impression de geler tout autour, de n'être presque plus en vie. Je me suis assis sur la pierre, je me suis laissé tomber à la renverse. La dalle n'avait plus qu'à se retourner pour que la mort m'ingurgite et me rabatte à jamais mon caquet.

Je fermais les yeux. Je n'avais plus peur. Un inconfortable lit de pierre, mais je n'avais jamais bien dormi dans un lit. J'aurais une mort insomniaque. Un état de lucidité, un éblouissement débilitant alors que les autres reposeront dans l'obscurité. Je ferais partie de ces morts insupportables qui se lèvent au milieu de la nuit pour aller donner des coups de fémur dans les placards des vivants assoupis. Je deviendrais un revenant, un fantôme, un lutin.

– Un lutin ?

J'ai ouvert les yeux. Elle était debout devant moi. Le coma l'avait requinquée. Plus de lunettes, plus de cernes, de bonnes joues d'adolescente, des cheveux tressés

198

arrangés en couronne qui lui donnaient un port de tête presque altier.

– Qui est lutin ?

Je ne pouvais quand même pas lui répondre que je parlais de moi.

– Je rêvais de farfadets.

– Levez-vous.

– Bien sûr.

Elle m'a tiré. Je me suis redressé, raide comme un cadavre. Elle m'a pris le bras et s'est mise à marcher. J'étais son automate de compagnie, enchaînant des pas saccadés avec une tête vide et branlante.

– Attention à la marche.

J'ai levé la jambe.

– Un grog ?

Encore ce bar, le même serveur, la même plaisanterie sur son avenir d'amante de morts. J'ai dû subir une fin d'après-midi en tout point identique à celle de l'autre jour jusqu'au moment où je lui ai conseillé d'aller à la cuisine trouver de quoi compléter sa cuite. Elle est revenue déçue.

– Il reste des bouteilles, mais on dirait plutôt des produits d'entretien.

Elle est allée acheter de la vodka avec le billet que je lui ai donné. Elle a voulu partager sa soûlerie avec moi. Elle avait pris de l'avance au café, mais comme je n'ai jamais tenu l'alcool nous n'avons pas tardé à tomber par terre ensemble l'un sur l'autre.

Un enfant d'ivrogne arraché sept mois plus tard à sa mère mourante par l'équipe d'urgentistes venue la secourir après qu'elle eut avalé le contenu du flacon d'acide à déboucher les éviers un jour où pour l'aider à décrocher j'avais sur les conseils de l'addictologue banni toutes les bouteilles d'alcool de l'appartement.

Le gamin est venu au monde à seize heures quinze, elle l'a quitté à dix-sept heures dans l'ambulance qui l'emmenait à l'hôpital Lariboisière. Au grand dam de mon lointain parent, elle fut enterrée auprès de l'ossuaire de mes femmes d'autrefois.

– Vous n'en finirez donc jamais d'être veuf ?

Je me suis retrouvé père célibataire à quatre-vingt-sept ans. Quelques jours après l'enterrement j'avais fait procéder à une comparaison d'ADN dans l'espoir que ma paternité serait mise hors de cause.

– Il est bien de vous.

– Mais, docteur, comment est-ce possible ? Je n'ai plus d'érection depuis plus de dix ans et ma dernière éjaculation doit remonter au siècle dernier.

– Les femmes sont diaboliques.

Le généticien était hilare. J'avais la larme à l'œil.

Un petit garçon qui a eu quatre ans le 26 août. Au lieu de me rajeunir, la paternité m'accable et depuis quelque temps je me déplace avec deux cannes. Je l'amène à la crèche chaque matin. Je viens le rechercher vers seize heures. On me prend au mieux pour son grand-père, mais le plus souvent pour son arrière.

Sur le chemin de la maison il jacasse comme une pie borgne. Il n'en finit pas de me raconter sa journée, les exploits de ses camarades et une foule d'événements à la lisière de la réalité tant il croit aux contes dans lesquels il fait circuler des personnes issues de la vraie vie.

Pendant le goûter je lui répète inlassablement l'alphabet. Quand il est de bonne humeur, il peut le réciter jusqu'au h.

Sinon, il me crache son jus d'orange à la figure et s'en va galoper dans tout l'appartement en criant z. Je me demande bien pourquoi.

Il y a des soirs où il refuse de prendre son bain. Je reste assis sur le tabouret à côté de la baignoire en essayant d'élever la voix pour qu'il comprenne mon mécontentement.

Je le retrouve une heure plus tard endormi sur un vieux manteau dans le cagibi du couloir. Dans mon état, je suis bien incapable de soulever ses dix-huit kilos. Je l'installe sur une petite planche à roulettes que j'ai fait faire par le menuisier de la rue Francœur. Il glisse sans bruit dans le couloir et je le hisse comme je peux sur son petit lit.

Au cours d'un rêve diurne, j'ai cru me souvenir d'enfants que j'avais eus avec une de mes épouses, les deux, les trois peut-être. J'ai trouvé des gens qui portaient mon nom dans un vieil annuaire. J'ai essayé de renouer.

Sans savoir exactement de quoi, je me suis platement excusé auprès de chacun d'eux. Mais leurs existences avaient des hauts murs, impossible d'y pénétrer par effraction et ils m'en ont refusé l'accès.

– On ne se rappelle pas bien de toi.

– Depuis le temps, on croyait que tu étais mort.

– On aurait préféré que ce soit maman qui survive.

– Si on n'avait pas pu comparer ton index avec l'empreinte de ton passeport, on t'aurait pris pour un imposteur.

– Mais un patronyme ne prouve rien.

– En plus, le nôtre est répandu comme un poncif.

Je me suis humilié.

– Je vous demande humblement pardon à tous.
– Pourquoi donc ?
– Je ne sais pas.

Ils s'apprêtaient à refermer leur porte qu'ils avaient à peine entrouverte.

– Je voulais vous présenter votre petit frère.

Je me baissais, j'essayais de le hisser pour qu'ils le voient mieux.

– Tu es fou.
– Va rendre cet enfant où tu l'as pris.
– On appelle les flics.

Je repartais cahin-caha.

Il va grandir, moi mourir. L'assistante sociale ne m'a pas caché qu'en l'absence de solidarité familiale sitôt mon décès constaté on le placerait sans doute dans la famille d'accueil où il avait déjà échoué l'hiver dernier durant les quinze jours de mon hospitalisation à la suite de cette maudite grippe qui avait failli m'emporter.

Quand on me l'avait rendu il s'était niché dans mes bras. Il pleurait comme un bébé et je me suis aperçu plus tard qu'il avait oublié la plupart des mots qu'il connaissait avant. Je voyais dans ses yeux la panique, la terreur et de l'amour.

Lorsqu'il est couché, la nuit est longue jusqu'au lendemain. Mes pas sont patauds, les cannes martèlent le parquet, le voisin du dessous se plaint de m'entendre errer.

Quand il n'en peut plus, il monte carillonner à ma porte.

– Je vous supplie d'arrêter de circuler.

– J'étais en train de me demander si j'avais le droit de laisser derrière moi un petit enfant.

– Vous verrez ça demain.

– Il faut pourtant que je prenne rapidement une décision. Je m'affaiblis de jour en jour. Bientôt, je n'aurai même plus la force de l'étouffer sous un coussin.

La fable du hongre

On a pris l'avion. Je marche mal, mais j'avance. Pas assez vite au goût de cette compagnie charter qui préférerait disposer d'appareils décapotables pour pouvoir les garnir avec une pelle mécanique. Ils ont voulu me trimballer dans un fauteuil roulant, me pousser comme un caddie sur la passerelle d'embarquement.

– C'est pour votre confort.

J'ai levé la main. L'hôtesse a compris que je la menaçais. Elle n'a pas insisté. J'ai traversé le tunnel tête haute en proposant aux passagers qui ronchonnaient de me voir retarder l'écoulement du flux de prendre sur leurs épaules deux ou trois de mes décennies afin que je puisse marcher avec eux à l'unisson.

– Je vous souhaite de mourir jeune avant de pourrir.

Ils protestaient couardement.

– Prenez votre temps, nous ne sommes pas pressés.

Je ralentissais l'allure, je m'immobilisais en oscillant pour bloquer le passage.

Nous avons décollé avec trois quarts d'heure de retard.

– Déjà qu'on a passé une éternité à nous fouiller comme des malfrats.

– C'est pour notre sécurité.

205

– Maintenant, il faut même enlever les souliers. Bientôt, ils mettront un rideau pour séparer les hommes et les femmes et ils nous feront défiler à poil comme au conseil de révision. Un truc à se faire pincer la bite par tous ces pédés qui partent dans les pays pauvres pour sauter des mômes.

– Les homosexuels ne sont pas tous pédophiles.

– Bien sûr que si. Ils ont raison, d'ailleurs. Je préférerais encore coucher avec un enfant famélique plutôt qu'avec un camionneur poilu comme une noix de coco et qui pue la bière.

– Tais-toi.

– Je n'aime pas la débauche, c'est tout.

Elle a ri.

– Tu n'as pas toujours dit ça.

– Je suis blanc comme neige, je n'ai jamais baisé que des femmes. Et du reste, presque toujours par la chatte.

– Parle moins fort, je crois que la petite fille près du hublot t'a entendu.

– Elle a déjà des yeux de putain.

La gamine a tourné la tête vers moi. Un regard arrogant de jeune salope.

– On voit déjà qu'elle fera une grande carrière. À moins qu'en cours de route elle tombe sur un émir qui la fasse infibuler.

– On dirait que ça t'amuse de dire des horreurs.

Je reconnais que c'est divertissant. À mon âge, c'est un des derniers plaisirs qui me restent.

– En tout cas, les réacteurs font un drôle de bruit.

Ma femme a peur en l'air, elle a pâli.

– Qu'est-ce qu'on s'en fout si on saute ? Comme

disent les musulmans avant de se faire exploser, *Allahu Akbar.*

– Ne crie pas, on va nous prendre pour des terroristes.

– Ah oui, des terroristes auvergnats. Depuis le temps qu'il n'y a que les Arabes pour mourir en héros, on leur montrera qu'on n'est pas des tantes.

– C'est horrible, ce que tu dis.

– Ça distrait. Ce n'est pas aujourd'hui que tu vas me sucer au-dessus de la mer Rouge.

Un souvenir de nos trente ans. Le commandant de bord venait de nous proposer de regarder Port-Soudan qui défilait à droite de l'appareil quand elle a plongé la tête sous la couverture pour me faire une fellation, comme disent les sexologues de la télévision.

– Je t'assure que la petite fille entend tout.

– Tant mieux, pour une fois que les jeunes écoutent ce que disent les vieux. En plus, elle a l'air chaude comme une braise. Elle est rouge comme une fraise, bientôt elle aura une auréole à son jean.

La petite a décroché sa ceinture. Elle s'est retournée pour dire quelque chose à sa mère. On n'a pas tardé à voir apparaître la sainte femme, une sorte de perche décorée de gros bijoux de courtisane en métal doré. Vu ses pommettes gonflées et ses faux seins, on ne se demandait pas comment elle gagnait sa vie.

– Bonjour, madame, bienvenue au club.

Elle a pincé les lèvres. Elle a extirpé sa fille pour se mettre à sa place.

– Après l'apprentie, la professionnelle.

Elle n'a pas osé bisquer. Elle s'est enfoncé de la musique dans les oreilles.

– Tiens, voilà la bouffe.

L'hôtesse s'est adressée à nous en anglais.

– Soyez polie, on est des Français.

– *What do you want ? Fish or meat ?*

Ma femme a répondu à ma place.

– *Meat, meat.*

Un plateau répugnant et un décilitre et demi de rouge métèque bien acide. Un déjeuner que même un affamé du fin fond du Sahel aurait envoyé bouler en montrant les dents comme un dromadaire. J'ai tout mangé. Comme disait ma mère, tout ce qui rentre fait ventre. D'ailleurs, ce repas devait nous être compté une fortune noyée dans le prix des billets.

– Même si je le gerbe, au moins je l'aurais mangé.

– Tu exagères, c'est très correct.

– Si tu me cuisinais des repas pareils, je t'aurais mise à la porte depuis longtemps.

Elle a piqué du nez.

Je me vois contraint de la remettre à sa place de temps en temps. Quand nous nous sommes connus en 1960, elle revenait d'un séjour de six mois dans une université californienne où elle était devenue féministe. Par amour, je n'avais pas tardé à le devenir aussi.

Passé les premiers mois de folle passion, nous avons vécu cinq années d'enfer. Elle me contredisait en public et ricanait. À la maison, elle m'accusait de tentative de viol chaque fois que je l'approchais avant l'heure du couvre-feu.

– Que dirais-tu si je touchais ta verge à tout propos ?

Quand elle acceptait d'avoir un rapport, il me fallait éviter de donner des coups de reins trop violents.

– Tu n'as aucune considération pour mon bassin.

Elle se croyait obligée de s'habiller comme une souillon pour qu'on ne la prenne pas pour un objet sexuel. Jamais de maquillage, des cheveux qu'elle coupait ras avec une grande paire de ciseaux émoussés et une incisive cariée qu'elle laissait se décomposer.

– Elle n'est pas douloureuse.

Elle ne faisait que des passages météoriques à la salle de bains. Des douches rares comme neige en juillet, une frimousse à peine dépoussiérée, une touffe à l'état de nature dont la tonte aurait émoussé une tondeuse à gazon.

Un jour, elle avait même vidé dans l'évier le flacon de parfum que je m'étais permis de lui offrir en cadeau d'anniversaire.

– La femme est un parfum qui se suffit à lui-même.

On ne nous invitait plus qu'en été lorsque la température était assez clémente pour pouvoir dîner dehors. Encore essuyait-elle des réflexions humiliantes pour moi.

– Vous ne trouvez pas que ça sent une drôle d'odeur ?

– En tout cas, je me sens mieux.

Et nous étions bons pour le récit de la crise d'aérophagie qui l'avait surprise en plein rosbif.

Elle travaillait en ce temps-là à *L'Express*. Sa supérieure hiérarchique s'appelait Françoise Giroud. Bien que favorable à l'émancipation féminine, elle lui avait fait plusieurs remarques.

– L'hygiène ne nuit pas à la féminité.

– La cosmétique nous avilit.

– En tout cas, nous ne pouvons plus vous accepter en comité de rédaction.

De guerre lasse, elle l'avait licenciée. Devenue célèbre pour sa puanteur dans le milieu journalistique, personne n'avait consenti à la réembaucher. Elle restait toute la journée à la maison comme une crétine. Quand je rentrais le soir fourbu de mon travail à la chapellerie que je venais juste d'hériter de mon père, le dîner n'était même pas en route. Je faisais cuire des nouilles que je mâchais dans une cuisine répugnante où couraient les insectes.

– On pourrait essayer de les exterminer.

– Ce sont des animaux comme les autres.

– On pourrait prendre un chat, l'autre jour j'ai vu une souris dans la salle de bains.

– Toujours ta manie de te bichonner.

Le chômage la rendait laide. Même un clochard n'en aurait pas voulu. Lors de nos rares sorties, les passants me jetaient des œillades apitoyées et les enfants la traitaient d'immonde.

– Nous vivons dans une société vraiment machiste.

– Il fait beau, on pourrait aller à la piscine ?

– Si tu crois que je ne te vois pas venir avec tes gros sabots.

Heureusement, les caisses d'indemnisation des sans-emploi n'étaient guère patientes en ce temps-là. Elle s'est vite retrouvée en fin de droits, sans autres centimes que ceux que je lui donnais chaque matin pour acheter une baguette bien cuite à la boulangerie de la rue Bétourné.

Bref, je la nourrissais. Dans son état elle n'aurait

jamais pu trouver le moindre coquin pour l'entretenir, ce qui me donnait sur elle droit de vie et de mort dans cette société où on ne vaut jamais que l'argent que l'on génère.

Un dimanche matin je lui ai rivé son clou.

– Tu es une économiquement faible, une estropiée économique.

– S'il te plaît, parle-moi avec le respect que le pénis doit à la vulve.

Je lui ai assené une gifle magistrale. Elle est tombée à la renverse sur le parquet. Aujourd'hui, ce geste me vaudrait les assises. En 1962, un mari avait encore le droit de mettre le holà dans son ménage.

Elle s'est relevée. Elle m'a toisé avec son nez tout coulant d'hémoglobine. Je lui ai enfoncé deux doigts dans les narines. Je l'ai tirée jusqu'à la salle de bains comme une truite.

– Je vais t'écailler.

De frayeur, elle tremblait. Je lui ai fait couler un bain additionné de détergent. À minuit, elle marinait encore.

Le lendemain, je l'ai brossée au chiendent.

– Au moins, te voilà propre.

Elle avait le regard humble et larmoyant de la femme matée. Quand elle a eu cicatrisé, j'ai pris une semaine de congé pour achever de la retaper. Le coiffeur a fait des miracles avec le peu de chevelure qui lui restait, l'esthéticienne l'a débroussaillée et je l'ai armée d'une batterie de sous-vêtements, de jupes, de robes, de chemisiers, d'escarpins, de manteaux, de fards, de rouge à lèvres, de mascara, de vernis à ongles et de bigoudis.

– Maintenant, il va te falloir travailler pour rembourser tout cet attirail.

Jean Daniel, qui régnait en maître au *Nouvel Obser-vateur* à cette époque-là, était un de mes clients. Je lui ai offert un borsalino et après quelques palabres il lui a consenti un rendez-vous. Lors de l'entretien, elle s'est montrée brillante.

— J'avais tellement peur qu'en cas d'échec tu m'accueilles fraîchement.

Elle a été engagée au service politique. Jusqu'à sa retraite, elle a interviewé ministres et chefs d'État avec un talent que lui enviaient même les hommes. On lui a proposé à trois reprises le poste de rédactrice en chef. Je craignais qu'elle n'en tire vanité et ne décroche un salaire plus élevé que le mien. J'ai refusé.

Depuis, nous parlons souvent des folles années de sa jeunesse d'affranchie. Elle se montre beaucoup plus dure que moi envers les épouses. Elle prétend même que l'égalité dans le mariage provoque des bouleversements hormonaux qui sont à l'origine de la recrudescence de problèmes utérins dont depuis une trentaine d'années ses acariâtres consœurs paient le terrible tribut.

Elle n'est cependant pas opposée à l'évolution du statut de la femme. Après guerre, la femelle restait encore confinée, dévolue qu'elle était aux soins du ménage. Aujourd'hui, elle est devenue une âpre gagneuse dont le pouvoir d'achat dope la consommation et soutient la croissance.

— Mais ce privilège ne lui confère pas le droit de devenir un bâton merdeux.

Atterrissage, je ne sais où. Je me suis toujours foutu du pays où je partais en vacances. Je ne sors pas de l'enceinte de l'hôtel et les plages et les piscines du monde entier se ressemblent beaucoup.

– Où on est ?

– À Hammamet, le pilote vient encore de le dire.

– On est en octobre ?

– Tu sais bien que non.

– Tu me le diras au retour. Aucune envie de m'encombrer la tête avec des imbécillités pareilles.

– On est en juin.

– Qu'est-ce que tu veux que ça me fasse ?

Elle a rougi.

– Ferme-la.

Elle s'est gardée de me faire observer qu'elle n'avait rien dit. Ce genre de remarque a le don de m'exaspérer. D'autant que la putain et son apprentie de gamine ralentissaient la circulation en fouillant interminablement dans le coffre à bagages.

Nous étions à l'hôtel depuis trois jours quand elle n'a rien trouvé de mieux que de se laisser rouler par une vague sur le seul endroit de la plage où il y avait des cailloux. Des estafilades dans le dos, comme si elle s'était pris des coups de nerf de bœuf.

– Tu ressembles à une bagnarde.

– Méchant.

En cinquante ans de mariage, j'ai eu le temps d'apprendre les vertus de la méchanceté. Elle procure un réel bonheur à l'épouse quand on la met en veilleuse par lassitude ou par pitié. Et puis la méchanceté n'exclut pas la tendresse. Plus la tendresse est rare, plus elle semble douce.

De retour à la chambre, je l'ai embrassée sur ses écorchures.

– Je te souhaite un prompt rétablissement.

Elle s'est approchée du lit et s'est couchée sur le ventre.

– Fais donc la sieste avec moi.

Je suis descendu déjeuner au restaurant de la piscine.

En vieillissant, je me suis fait pachyderme. Mon ventre me plombe, un corps-mort qui cherche le sol. Je laisse mes bras tomber en avant pour répartir les poids et poussant cette masse avec les jambes je chemine. À mon passage, les plus grossiers se donnent des coups de coude, les autres se mordent les lèvres. À leur place, je n'hésiterais pas à m'éclater de rire au nez. Si on ne se moquait pas des autres on ne rirait pas souvent.

J'ai trouvé une table à l'ombre d'une espèce d'arbre aussi laid et tordu que moi. S'il avait été une femme et mon épouse morte, j'aurais pu me remarier avec lui sans pouvoir être soupçonné de profiter de mon fric pour épouser une belle fille.

Malgré ma lourdeur, mon sexe a gardé son élasticité et sa vigueur. Le voyant se dresser à travers un trou ménagé dans une cloison, un observateur le prendrait pour celui d'un jeune homme.

D'aussi loin qu'il m'en souvienne, j'ai toujours été obsédé. Je devais bander déjà dans le ventre de ma mère. Si j'ai décidé de naître précipitamment à huit mois et demi, c'était pour avoir les mains libres afin de pouvoir me lancer dans la masturbation.

Un drôle de sport que l'on peut pratiquer de la pouponnière au mouroir. Entre-temps, on se sert des vagins comme de mains humides. C'est ce que les romantiques appellent faire l'amour. La main nous différencie des espèces inférieures. Les primates l'ont inventée pour se manipuler.

J'ai mangé un sandwich à l'agneau qui s'est retrouvé en charpie dans mon estomac avec un demi de bière locale qui moussait comme une lessive.

L'eau de la piscine était chaude. J'ai digéré paisiblement assis comme un bouddha sur une marche du petit bain. Les heures des vieux passent vite. J'ai vu le soleil se coucher avant d'avoir eu le temps de me demander si j'allais être bientôt sur le point de m'ennuyer à mourir.

J'ai dû avaler la semaine avec le repas du soir. La fin du séjour ne m'a laissé aucun autre souvenir. Pour moi toutes les vacances se ressemblent comme des nuits sans rêve. Le reste de l'année ne comporte pas beaucoup d'événements non plus, des mois lisses, des années qui passent comme des ombres.

Notre fille vient déjeuner chaque mois avec son jeune mari. Un brillant poulet qui finira ministre de l'Intérieur ou préfet de police. Je n'aime pas les repas qui s'éternisent. Ma femme se croit obligée de leur servir un hors-d'œuvre, une salade, un fromage, un dessert en plus du plat de résistance qui s'avérerait bien suffisant si au lieu de le chipoter ils s'en enflaient convenablement. Ils parlent pour ne rien dire ou pour exprimer des sottises qui mériteraient des coups de pied.

– Taisez-vous, ça fait du vacarme.

Ma fille se moque bien de mes observations. En

revanche, mon gendre la ferme et il s'en va dès la dernière bouchée avalée.

– Merci pour ce délicieux repas.

Ma fille traîne des pieds.

– Allez, on reste encore un peu.

– Ce n'est pas nécessaire.

Elle le course dans l'escalier, mais revient seule reprendre son sac et son imperméable.

– Il a un travail à finir pour lundi.

– Tu parles, il est vexé.

– Non, papa. Je t'assure.

– Fous le camp, tu m'énerves.

Elle s'en va la larme à l'œil. Ma femme ne vaut pas mieux. Elle se retire dans sa cuisine pour sangloter. Je l'entends pleurer depuis quarante ans, c'est une rumeur à laquelle je me suis habitué. Les femmes sont comme les nourrissons, il faut les laisser pleurer jusqu'à épuisement. La moindre cajolerie régénère leur caprice. On en a pour la nuit.

Du reste, elle ne tarde pas à réapparaître au salon avec aux lèvres un sourire fagoté à la va-comme-je-te-pousse.

– Tu as fini ?

– Pardon.

– Va te coucher.

– Il est à peine quinze heures.

– C'est exact.

Un bon débarras. Pendant qu'elle est au lit, je suis heureux comme un célibataire pour le reste de la journée. Je ne regrette pas de l'avoir épousée mais on doit pouvoir éteindre une épouse comme un radiateur à la première suée.

216

Après quarante ans de mariage, j'utilise toujours ma femme. C'est un ustensile commode et toujours à portée. Avec l'âge, elle est devenue frigide. Elle se laisse prendre en silence. Juste un rassurant petit bruit de muqueuses.

J'économise mes orgasmes pour ne pas épuiser mes testicules. À force de volonté, il m'arrive même de n'éjaculer qu'une fois par mois. De toute façon, ma femme est ménopausée depuis vingt-huit ans et mon sperme lui profite autant qu'à une cuvette.

De temps en temps, elle invente des histoires abracadabrantes pour échapper à son devoir. L'an dernier, elle s'est plainte d'une sécheresse vaginale.

– Achète un gel et lubrifie.

Elle le commande sur internet par packs de six. Elle prétend que ce n'est pas aussi agréable que du temps où ses glandes de Bartholin giclaient à plein régime. En ce qui me concerne, la différence m'échappe.

Ce problème expédié, elle s'est mise à souffrir des lombaires. Immobile sur son dos raide, on aurait dit une vieille dame de latex.

– Tu te fais opérer et on n'en parle plus.

Elle est à présent en état de marche. Elle fonctionne à merveille.

Pendant les vacances, je mets ma sexualité en sourdine. Passer mon séjour dans une chambre serait aberrant et même si les rapports étaient tolérés sur la plage je m'abstiendrais de crainte de les enrayer avec du sable.

Elle est restée en contact avec nombre de ses anciens collègues. Elle les voit à sa guise dans la journée. Nous n'acceptons cependant aucune de leurs invitations à dîner. Quant à les recevoir chez nous, je ne suis pas assez altruiste pour nourrir des pique-assiettes.

– Tu n'es pas mondain.

– Pour quoi faire ?

– J'aime les contacts humains.

– Je ne te suffis pas ? À ton âge, tu ne voudrais tout de même pas prendre un amant ?

– J'aime bien parler à des amis, les écouter raconter leur vie.

– Et pourquoi pas leur raconter la nôtre pendant que tu y es ?

– Je t'assure, je suis discrète.

– Tu es une donneuse.

Dans ces moments-là j'ai envie de lui donner un coup de tête.

– Disparais, avant que j'éclate.

Elle avait la manie de se planquer dans les toilettes, mais à mon âge j'ai besoin de les fréquenter souvent et je l'ai priée de trouver un autre refuge. Elle s'expatrie maintenant chez la gardienne à qui elle offre le lendemain une plante pour la remercier.

Je regrette parfois mes mouvements d'humeur. Mais notre couple suit sa pente. Si nous oublions de mourir d'ici là, quand nous nous promènerons dans les rues en 2020 on me prendra pour un maître-chien et sa bête. Ce ne sera flatteur ni pour elle ni pour moi qu'on accusera d'attenter aux droits humains.

N'empêche, parler aux autres est absurde.

– Je ne peux pas m'empêcher de mettre le nez dehors.

– Comme d'autres de se jeter sous les trains.

La liberté ne lui vaut rien, elle était naguère la première à en convenir. Elle me disait qu'un couple devrait être monocéphale.

– La tête de l'épouse est une petite bosse que le mariage aide à se résorber.

Mais la vieillesse l'affaiblit, la force lui manque pour continuer à lutter contre ce féminisme qui pourrit les épouses, les pousse déjà défraîchies à demander le divorce et les condamne à courir jusqu'à la fin de leur vie après un nouveau mari comme des mômes après le dahu.

Elle est parfois virulente. L'autre jour, elle m'a tant harcelé que j'ai fini par consentir à me traîner avec elle à une réception. Dans la voiture, elle m'a reproché d'avoir soupiré toute la soirée.

– Tais-toi.

– La femme a droit à la liberté d'expression.

– Tu ne vas pas recommencer ?

– Arrête la voiture, je descends ici.

– Où tu vas ?

Elle m'a adressé un regard sans amour.

Malgré ses quatre-vingts ans, elle a sauté de la voiture sans attendre la fin du freinage.

Elle est revenue le lendemain après-midi.

– Qu'est-ce que tu as fait pendant tout ce temps ?

– Je t'ai haï.

Elle s'est assise au salon. Elle a dormi sur le canapé jusqu'au coup de sonnette de dix-neuf heures quinze qui l'a tirée du sommeil guillerette, rayonnante, presque rajeunie.

J'ai ouvert la porte à un homme d'une quarantaine

d'années. Je me suis laissé appâter par cette somme de
six cent mille euros. La fièvre de l'or rend naïf et elle a
causé ma perte.

Sous l'apparente docilité de mon épouse, la rancœur
s'était accumulée. Une matière noire, sèche, que seul le
sang nettoie. Il lui a suffi de traîner sur un forum dédié
à la lutte contre la sexualité pour dénicher un complice.
Une sorte de voleur de poules qui se vantait de guérir les
mules et les juments par la pluie. Il sortait de prison à la
suite d'ablations sauvages d'appareils génito-urinaires de
chiens, de chats et autres prétendus butors de sexe mâle
qu'il arrachait à leur maître sous la menace d'un pistolet.
Il avait été libéré par compassion après avoir envoyé
dans un bocal son propre appareil au juge d'instruction.

– Le seul geste vraiment féministe dont puisse se
vanter un homme.

Elle n'a pas eu grand mal à lui inculquer la haine de
moi. Il lui a suffi de survoler un paragraphe de cette
histoire pour se mettre à bouillir. Un cri continu s'est
échappé de sa bouche comme vapeur du clapet d'un
autocuiseur. Le sort de mon épouse lui rappelait celui de
sa mère dépérissant sous le joug d'un mari au long pénis
dont il la menaçait certains soirs comme d'un fleuret.

– Vous ressemblez tant à maman avec votre bouche
triste comme un méat.

– Je n'ai jamais été très pourvue en lèvres et la ménopause a dépulpé le peu que la nature m'avait accordé.

Même si l'on admet la maltraitance conjugale, le châtiment qui me fut infligé est disproportionné par rapport
au délit. Fagoté dans un costume acheté d'occasion dans

un cauchemar, le malandrin m'avait fait miroiter l'héritage d'un oncle fabuleux qu'il me priait de venir toucher à Paris en son étude de la place de l'Étoile.

Ils ont commis leur forfait dans le train. À la hauteur d'Auxerre, armés de couteaux de boucher les diaboliques profitèrent d'une bousculade provoquée par des scouts se disputant un garçonnet en salopette pour se précipiter avec moi dans les toilettes.

– Nous allons vous aider à vous soulager.

L'irréparable se produisit aussitôt et mon urine jaillit de concert avec un geyser de sang rouge baiser avant que je ne m'évanouisse et qu'ils ne me jettent saignant sur le quai de la gare de Lyon.

Une fois recousu, pansé, foutu dehors par l'antenne médicale, j'ai eu trop honte pour aller déposer plainte. Je n'ai pas osé non plus rentrer chez moi. J'ai loué non loin un rez-de-chaussée sombre et sale comme une écurie. Je suis un cheval de retour qui au lieu de mourir dignement finira sa vie hongre.

La badiane empêche de mourir

En 1929, on m'avait offert pour mes étrennes la boîte du petit chimiste. Je ne rêvais plus que cornues et alambics. Le monde m'apparaissait comme un grand laboratoire où nous courions pareils à des tubes à essai mobiles, sautillants, qui finissaient par imploser quand la maladie obstruait leur orifice ou par se fracasser dans un accident.

Le crâne, une sorte de bouteille d'os ventrue à laquelle on avait coupé le goulot. Nos pensées résultant d'un perpétuel échange entre les substances acides, basiques, alcalines, dont notre ego était le précipité capable de décharges de plusieurs millions de volts qu'il lui importait de diriger vers le monde extérieur afin de grandir, dominer, vaincre, éviter de périr d'électrocution comme ces humains suicidaires qui à force de garder pour eux leur énergie finissent par voir brûler leur cervelle comme une résistance survoltée.

J'ai eu beaucoup d'enfants. J'ai donné dans ma vie des milliers de biberons. J'aimais passionnément transvaser du liquide d'un récipient à l'autre. Le plaisir exaltant de verser cet engrais dans le petit des humains, cette racine germée dans le terreau du ventre de la femme, crachée dans la douleur comme un gros noyau que le lait fait croître comme un arbre.

J'ai toujours sevré ma progéniture une semaine après la naissance. J'accordais aux mères le droit de porter, de pondre, mais l'allaitement était un droit qui me revenait. Elles avaient par ailleurs toute liberté pour langer, faire des risettes, se lever la nuit pour les bercer à leur guise.

J'avais compris dès cette époque que les sentiments étaient des fantômes inventés pour nous détourner de notre vocation d'humains contraints pour prospérer au respect absolu du réel.

Quand les bambins atteignaient leurs deux ans, je disparaissais et les mères pouvaient en faire ce qu'elles en voulaient. Elles recevaient une pension, à charge pour elles de les élever avant de les jeter dans l'âge adulte comme des malpropres.

Je n'en ai jamais reconnu aucun, c'est un bon début dans la vie de naître de père inconnu.

Certains ont eu l'inconscience de venir me rendre visite une fois leur enfance enterrée.

– Que voulez-vous, jeune homme ?

– Je suis votre fils.

– Vous n'aurez rien.

Les filles essayaient de m'amadouer.

– Ce n'est pas une question d'argent, mais l'image d'un père me manque.

– Trouvez un autre gogo pour assumer cette charge ridicule.

– Nous pourrions apprendre à nous connaître. Avec les années, on finirait par rattraper le temps perdu.

– Vous rêvez peut-être aussi qu'un jour je vous empa-paoute ?

Elles baissaient le nez.

– Je m'estime trop vieux pour procréer encore. J'avais la manie de nourrir les bébés mais elle m'a passé depuis longtemps. Je ne vois donc pas quel usage je pourrais faire de vous. D'ailleurs, je n'ai jamais aimé votre mère qui vous a chiée pour l'argent.

Elles s'en allaient, les plus entêtées à coups de pied au cul.

Les plus effrontées se permettaient de revenir le lendemain. J'avais une fiole d'acide dans un tiroir de mon bureau. Elles prenaient la fuite quand je menaçais de les vitrioler en les traitant de putains.

– Avec la tête que vous aurez, fini le tapin.

Je les regardais par la fenêtre se carapater. J'avais fait des beautés, mais aussi une cargaison de pots à tabac qui se perchaient sur des bottes à hauts talons pour paraître moins naines. Parfois un de ces laiderons affolés trébuchait sur ses échasses au milieu de la rue et une voiture l'aplatissait.

J'ouvrais la fenêtre à deux battants.

– Naine et estropiée, un bel avenir.

Évidemment, je m'égosillais en vain quand l'idiote était morte sur le coup.

Je méprise la jeunesse, un état provisoire, une contrée traversée en trombe il y a longtemps. Par peur d'être accablé à son tour, on craint de se moquer d'un malade, d'un pauvre, d'un perturbé. Mais on peut se montrer sans pitié envers la jeunesse car la crainte de revenir un jour au pays des jouvenceaux serait grotesque.

Une terre perdue où l'on ne retournera jamais même en touriste peut bien être la proie des bombes sans vous laisser au cœur le moindre nuage. Quant à la nostalgie, je ne vois guère pourquoi je regretterais un pays où j'étais sans argent, sans charme, promis à un avenir radieux comme l'obscurité.

Une enfance banale. Des parents, trois frères, trois pièces chauffées l'hiver, de la nourriture, de l'eau, des vêtements, une éducation ordinaire avec au bout du chemin un diplôme de comptable en guise de sac à dos.

Je voulais réussir. Quelle humiliation d'être jeune, de tomber du flacon de sa famille comme une goutte dans le caniveau. J'aimais les chiffres, la magie des pourcentages, des progressions, des inflexions dont on pouvait tirer des courbes qui enfermaient une portion de la réalité. Je croyais aux nombres, je savais qu'ils étaient l'âme et l'humanité la matière.

J'ai été engagé à vingt ans par une grande pharmacie de Neuilly. Au lieu de me borner à mon modeste rôle d'employé, j'ai essayé de tirer leçon de toute cette comptabilité que j'étais chargé d'ordonner. Des calculs, des projections, des cogitations m'ont amené à découvrir qu'on pouvait doubler les bénéfices en chargeant le comptoir et ses soubassements de charlataneries à base de plantes amaigrissantes ou de crin de cheval censé faire repousser les poils du crâne.

J'ai convaincu aisément mon patron de tenter sa chance. J'ai été chargé d'installer la tuyauterie de cette pompe à finances. Je suis entré en contact avec la petite entreprise qui fournissait les quelques boutiques de naturopathie dont disposait la France en ce temps-là.

J'avais pris soin auparavant de constituer une société, sorte de coquille vide qui se chargeait de facturer deux fois plus cher à la boutique les produits que l'entreprise m'avait vendus.

L'image du pharmacien en blouse blanche devant sa caisse conférait à ces placebos une aura miraculeuse. En cas de demande de renseignement, il lui suffisait d'arborer un sourire de sphinx pour faire céder les indécis. Déjà renchérie par la dîme que je carottais, la marchandise était vendue avec une marge de trois cents pour cent. Pommades et gélules faisaient véritablement perdre du poids ou repousser les cheveux des clients car la dépense sera toujours la meilleure saignée, une pratique contestée aujourd'hui qui fut pourtant la thérapeutique universelle dont se contentaient nos ancêtres.

Seuls les avares continuaient à enfler et à devenir chauves comme des comprimés. Quand je me faufilais dans la file d'attente pour les chapitrer sur les effets mirobolants de ces produits coûteux, montrant du doigt les consommateurs sveltes et chevelus qui venaient se réapprovisionner, ils me répondaient qu'ils préféraient garder leurs billets plutôt que les derniers cheveux qui leur restaient.

– Et conserver précieusement notre graisse plutôt que l'échanger contre une perte de monnaie.

– Nos infusions de badiane empêchent de mourir

– L'argent est précieux, les années supplémentaires que vous nous promettez seraient autant d'occasions de dégradations pécuniaires. Vivre coûte, vivre est si dispendieux que nous préférons n'en point abuser.

– Vous venez pourtant ici acheter des médicaments

227

dans l'espoir de ne pas succomber au mal qui ronge votre capital santé.

Ils tressaillaient en imaginant soudain qu'un publicitaire avait eu le front d'inventer une pareille escroquerie langagière, comme si la santé versait des dividendes à ceux qui la possédaient.

– Les remèdes nous sont remboursés, nous serions fous de ne pas venir les chercher. Nous les entassons dans nos placards. Parfois nous les revendons à des propriétaires de chiens malades assez malins pour nous les acheter au rabais plutôt que de gaver les vétérinaires. Par ailleurs, nous espérons bien que notre grippe nous emportera et stoppera net notre existence qui ne nous a déjà que trop coûté.

– Il me semble pourtant qu'elle est enviable, la vie longue. Les mourants se plaignent souvent de n'avoir point eu leur dû d'années. Moi-même, je compte bien me mettre de la vie jusque-là.

Je portais alors la main à mon front.

– Libre à vous d'enrichir l'agroalimentaire, d'user des chaussures, de payer un loyer et si à force d'épargne vous devenez un jour propriétaire d'occuper jusqu'au siècle prochain un logement qui pourrait être loué avec profit à un autre viveur de votre espèce.

– L'avarice vous tuera.

– Nous l'espérons, voilà au moins un vice qui n'a jamais ruiné personne.

Je les voyais disparaître année après année. Ceux qui malgré tout atteignaient un bel âge éclataient parfois en sanglots dans la queue, joignant les mains en demandant d'une voix pitoyable au plafond de la boutique pourquoi la mort les défavorisait.

– Alors qu'elle emporte des jeunes gens. Des prodigues qui rêvaient de s'attarder ici-bas pour bouffer l'héritage de leurs parents. Qu'elle est injuste, notre destinée.

Une commère ne manquait pas alors de surenchérir.

– Nous avions un beau-frère près de ses sous, il s'est suicidé au printemps dernier plutôt que d'acquitter un retard d'impôt.

Ils prenaient un air penaud.

– Tout le monde n'est pas un héros.

Avec le secours des mutuelles qui leur permettaient de se prélasser gratuitement sur un lit d'hôpital, j'ai vu peu à peu vieillir la population des avares. Ils ne s'en plaignaient plus, tant les retraites gonflaient, alors que les salaires déjà maigres se racornissaient au fil des ans. Dorénavant, ils étaient prêts à investir pour gagner du temps sur la mort qui sonnerait le glas de leur pension.

Je n'ai pas tardé à répandre cette pacotille dans toute l'Europe occidentale. Ma gamme se développait au fur et à mesure que croissait le désir général d'arriver à l'extrême vieillesse et même d'éviter la corvée de mourir. Cette soif asséchait des gosiers de plus en plus jeunes qui préméditaient leur vieillesse à vingt ans.

Les médias étaient séduits par l'espérance d'éternité dont je saupoudrais tous mes produits. Les producteurs m'espéraient comme le Messie quand l'audience de leurs émissions dégringolait. Je condescendais à venir sur leurs plateaux pour prêcher l'immortalité par les plantes. J'employais un langage pentecôtiste, remplaçant les flammes de l'enfer par le subtil chagrin de n'être plus.

– Reculer l'instant de sa mort, voilà le sens de la vie.

La population entendait ma parole, renonçant à déguerpir avant d'avoir usé l'existence jusqu'à la corde.

Les vertus régénératrices de la dépense régulière qui découlait de l'achat continu de mes préparations n'enrayaient pas tout à fait l'endémique déconstruction des devenus-vieux. Les vieillards finissent en pièces détachées, leurs cellules usées se désolidarisant les unes des autres, chacune vivant sa vie en égoïste, refusant de collaborer, flottant dans ces sacs bringuebalants de peau, d'os, devenus boiteux, surmontés de têtes sur le point de se couper du monde tant elles sont en voie de surdité, de cécité, d'extinction de la pensée, de la mémoire dont les souvenirs volent comme feuilles mortes et se brisent en fragments inintelligibles si on parvient enfin à s'en emparer.

La vieillesse devient d'autant plus répugnante qu'elle vit davantage, dispose de plus d'années pour se délabrer à son aise.

J'ai publié il y a trente-quatre ans un article intitulé « Le bénéfice des vieux » dans le supplément économique du *Monde*. En étudiant la démographie, j'en étais arrivé à la certitude que dès le tournant du siècle le troisième âge triompherait. La jeunesse deviendrait un stigmate de pauvreté et serait obligée de courber l'échine pour assurer sa subsistance. Seuls les retraités auraient accès à l'aisance, au luxe, à l'oisiveté tranquille des rentiers. J'avais compris le premier que notre société allait faire le lit de ces parasites qui ne produisent plus rien et n'en mangent pas moins.

Dans les temps futurs, trop de générations se côtoieraient. La terre deviendrait un jardin surpeuplé où on se piétinerait dans les allées faute de pouvoir accéder au verger déjà plein comme l'enfer. Il fallait que s'écoulent les vieux dans des récipients blindés où ils seraient à l'abri de la jeunesse aigrie par le chômage, le travail, la précarité, le désespoir de devoir attendre des décennies pour toucher enfin sa part de bonheur.

Des récipients, des vases, des aquariums, des coffrets matelassés, des prisons dorées où ils pourront ruminer l'argent qu'ils prélèvent chaque mois à cette population de gribouilles à qui on ne donne plus que les miettes de la croissance et la peur de n'en avoir plus un jour que la cendre si par malheur elle perdait son emploi.

Jeunesse haletante, souriante de veulerie, l'angoisse de l'avenir la fouettant comme poneys de cirque. Faite d'ilotes d'un monde possédé par des vieillards hypocrites qui les adulent pour mieux aspirer leur pulpe. Pleutres petits électeurs serviles sortis de leurs mères comme pantins de l'isoloir, incapables de massacrer leurs ascendants pensionnés qui depuis la soixantaine traversent la vie en vacanciers.

Des godelureaux qui hypothèquent leur quotidien en payant la pension de leurs aînés afin que perdurent les privilèges jusqu'à l'époque où ils pourront enfin faire valoir leurs droits à devenir eux aussi de coûteux fainéants toqués de sport, de bridge, de tours du monde, qui finiront atteints de maladies incurables dont ruinant la société en vaines thérapeutiques ils mettront des années à mourir en renâclant.

La démocratie est la providence des vieux. Les urnes rotent leurs voix tant elles en sont cafies. Députés et présidents les fellationnent, les gamahuchent, alors que les actifs doivent se contenter en cas d'accident social de la baffe du minimum vital qu'on leur flanquera à la gueule de peur que trop affamés ils ne cassent les banques. Le suffrage universel nous préserve des révolutions et des coups d'État fomentés par de jeunes salopiots comme Bonaparte, Saint-Just ou Che Guevara qui n'aura eu pour descendance que des tee-shirts.

Je n'ai jamais succombé à la compassion. Le calcul et le respect des nombres constituent le seul secret de ma quiétude. J'ai vécu et continue à vivre en scientifique. Chaque homme est un ensemble de paramètres gâté par les sentiments dont il s'enivre pour conserver en lui une part d'incommensurable.

Tout ce qu'on sera toujours incapable de compter semble beau comme le ciel et permet aux imbéciles de croire qu'ils abritent en eux l'infini. Erreur funeste, car ils craignent à chaque instant de perdre cette substance imaginaire qu'on ne mettra jamais en flacon. Ils deviennent amoureux, artistes, idéalistes, oubliant de se contenter de ce qu'ils sont. On n'est jamais serein quand on aime, quand on poursuit un but aussi flou que la beauté ou le bonheur de l'humanité.

À soixante-cinq ans, je possédais déjà un complexe de quatre-vingt-seize maisons de retraite. Assistant un 14 Juillet au défilé des polytechniciens sur les Champs-Élysées, je réalisai que nulle part au monde n'existait de maison de retraite d'excellence n'acceptant que l'élite des vieux. Un lieu drastique où une préparation rigoureuse leur permettrait un jour d'affronter la mort en pleine possession de leurs moyens et de lui tenir jusqu'au bout la dragée haute.

Je suis aussitôt rentré chez moi afin de jeter sur le

papier les grandes lignes de mon projet. Pas plus de cinquante pensionnaires inamovibles remplacés au gré des décès. Une grande villa avec un parc, des chambres individuelles aux parois vitrées pour faciliter le travail des gardes de nuit. Une résidence fleurie, spacieuse, aux meubles fleurant bon la cire d'abeille mais où régnerait l'ordre, la discipline, le goût de l'effort et du dépassement.

Deux ans plus tard, l'hospice de mes rêves était déjà érigé sur un terrain escarpé des Alpes. Un climat rude, un air sain, alentour ni ville ni village. La nature à perte de vue dont j'avais confisqué quelques arpents pour les confier à un paysagiste qui s'était inspiré du travail de Le Nôtre pour créer une dizaine de jardins à la française clos de grilles afin de rendre possibles des promenades par petits groupes isolés les uns des autres durant les périodes où le personnel croirait sentir flotter un vent de mutinerie sur nos ouailles.

En réalité, les vieux ne se révoltent jamais. Ils font des caprices, symptômes paradoxaux d'une extrême fatigue qui les écrasent après quelques minutes d'exaltation.

Depuis bientôt vingt-cinq ans, l'emploi du temps est immuable. Réveil à sept heures, comme un jour d'école. Sept heures trente, gymnastique en commun dans la salle des fêtes et évaluation des performances accomplies. À huit heures et demie, petit déjeuner sans graisses ni sucre ni gluten consommé de manière ambulatoire en montant et descendant les escaliers afin de tonifier les fessiers. Neuf heures, atelier d'artisanat où chacun s'attelle à l'ouvrage. Les œuvres seront notées en fin de semaine par les moniteurs et les notes affichées. À midi, collation diététique prise en commun au réfectoire. Les conversations sont bannies, afin de ne pas perturber la mastication.

Ensuite une sieste en plein air si le temps le permet. Les jours de pluie, chacun rentre sa chaise longue dans la véranda. L'après-midi est consacré aux activités d'entretien de la mémoire et de toutes les autres facultés de l'intellect. Du calcul mental, des puzzles, des charades, version et thème latins, grecs, du chinois, un peu de russe, des commentaires écrits sur des articles choisis dans les journaux du matin, des fables à apprendre par cœur ainsi qu'un arsenal de tests pour permettre au psychologue de dessiner la courbe de leur quotient intellectuel qui malgré nos efforts toujours s'amenuise.

À dix-huit heures quinze, c'est le dîner composé de légumes, de sucres lents, d'un fruit cuit, d'une portion de fromage fondu. La soirée commence à dix-neuf heures. Des pièces de théâtre où chacun tour à tour joue un rôle, des chants où on frappe dans ses mains en cadence, des concerts où nos vieux contrefont violons et percussions avec leur bouche. Puis un quart d'heure de danse classique pour délier leurs membres avant de filer au lit. Ils disposent alors de quarante minutes pour se livrer aux activités sexuelles dont pour des raisons hygiéniques nous encourageons la pratique entre pensionnaires. À vingt et une heures trente, fermeture des portes et extinction des feux.

Non seulement mon établissement est gratuit, mais je verse de surcroît à chaque pensionnaire une indemnité mensuelle d'un montant proche de celui d'une bourse de grande université américaine. J'ai pu attirer ainsi les irréductibles avares crucifiés à la seule idée de devoir payer pour vivre. Ils affluent par appât du gain dans

nos centres d'examen où on les sélectionne avec plus de
sévérité encore que des astronautes.

J'habite un appartement au dernier étage de la maison.
J'ai une vue imprenable sur le mont Blanc. Je continue à
diriger mes affaires en potentat. J'aime sentir au-dessous
de moi gronder ce volcan de vieillards stimulés jusqu'au
dernier jour, toujours actifs en dépit de l'épuisement, la
fonte inéluctable des muscles et l'effondrement progressif
de la faculté de jugement.

Je descends souvent les visiter. Je les encourage de
la voix et du geste à se secouer. Quand on me signale
un paresseux, je le convoque dans mon bureau pour un
tête-à-tête vigoureux au cours duquel je le menace d'un
renvoi immédiat s'il ne redresse pas la barre.

– Vous irez au diable terminer votre course sans plus
toucher le moindre sou.

Cette menace réveille les plus lambins qui par avidité
se surpassent.

Les coûts sont dérisoires quand on les met en balance
avec le gain d'image. Grâce à leur hargne à vivre, le taux
de longévité de nos pensionnaires est de quatorze années
supérieur à celui de la population générale.

Ils sont nombreux les paparazzi perchés sur des sapins
qui volent à longueur d'année des clichés de nos vieillards
d'exception. Ils jouissent dans le monde entier d'une
célébrité proche de celle des footballeurs. Même les
adolescents les badent comme des rock-stars.

Tous nos établissements bénéficient de la réputation
de ce fleuron. Les listes d'attente sont si longues que
beaucoup meurent avant d'avoir eu la chance de pouvoir

intégrer le plus humble de nos hospices dont les tarifs hors de prix obligent souvent les heureux élus à brader leur patrimoine et donnent aux héritiers des sueurs froides.

À quatre-vingt-onze ans, je suis un riche vieillard. Je dégage cette impression de sérénité qu'on éprouve en lisant le bilan d'une société bien gérée dont chiffre d'affaires et bénéfice n'ont fait que grimper depuis ses débuts.

La mort n'est pas une faillite, mais seulement l'instant où l'actif et le passif se figent pour l'éternité. Je mourrai comme un nombre s'effondre de n'être plus compté. Il rend au néant ses chiffres comme le croyant son âme à Dieu. Des chiffres qui ne manqueront jamais à personne car leur source est intarissable.

Cinq fois vingt-cinq ans

Cette journaliste antipathique a surgi chez moi en fin d'après-midi alors que je m'apprêtais à mettre au four une cuisse de poulet au citron en subissant les actualités qui dévalaient en cataracte par toutes les ouïes des murs de la cuisine tandis que tombait le jour.

Sur l'écran mat de ses pupilles défilaient les ternes images d'une enfance brimée par un père violent à clouer sa poupée sur la porte de sa chambre pour la punir d'une miette tombée, de son adolescence humiliée par une pilosité coriace, de sa vie d'adulte mal rémunérée par ce média expérimental appartenant à une confrérie prônant la raréfaction des vivants par l'abstinence absolue et l'apocalypse, dont l'antenne émettrice était braquée vers le ciel pour toucher l'hypothétique clientèle des extraterrestres.

Une femme agressive qui avant même de se présenter m'a demandé de m'excuser.

– Je ne vois vraiment pas de quoi.

– De vivre encore.

– Il est vrai que je m'attarde.

– Vous qui buvez, fumez, ne crachez point sur les substances, usez tant la chandelle que depuis si longtemps de vous il ne devrait plus rien rester ?

– J'ai arrêté ces extravagances depuis longtemps.

– Votre obstination à exister est une insulte.

– Je suis vraiment désolée.

– Comment peut-on vivre à qui mieux mieux avec tant d'arrogance ?

Depuis l'anniversaire de mes cinq fois vingt-cinq ans, les journalistes se succèdent à mon domicile de jour comme de nuit. Je suis loin pourtant d'être la doyenne de l'humanité qui frise les cent cinquante en cette époque où les vieux se déchaînent tandis que meurent prématurément de minables trentenaires incapables de faire plus longtemps faux bond à la mort.

Je ne suis pas la plus vieille de la planète, mais j'ai le double avantage de passer pour un cerveau universel et de jouir d'un physique assez convenable pour ne pas obliger les médias à me flouter.

Quand je refuse l'entrée au personnel médiatique, il fait ouvrir la porte par un serrurier.

– On croyait vous avoir entendue appeler à l'aide.

– Je venais juste de m'endormir.

– Jeune qui veille et vieux qui dort méditent la mort.

Ils trouvent toujours un proverbe pour justifier leur impudence.

– Je vous en prie, allez-vous-en.

– Juste quelques questions.

– Non, merci.

– Un petit sourire, mamie.

Une insupportable familiarité dont vous faites les frais en vieillissant.

Ce soir-là, cette femme avait fait irruption tandis que s'en allait l'équipe de télévision luxembourgeoise qui depuis l'aube m'infligeait une série d'interviews sur les plaisirs des vieux.

C'était une petite humaine au sang gris qui ressemblait à une eau-forte. Tout juste si la haine de temps en temps coloriait ses joues, comme si ce jour-là cette passion funeste avait choisi le vermillon.

Elle a refusé le fauteuil, exigeant de s'asseoir à côté de moi sur le canapé. Elle cherchait mon regard que j'étais bien obligée de lui accorder tant m'effrayaient ses crocs charbonneux plantés dans une paire de mâchoires aux gencives noires comme la suie.

– Depuis belle lurette vous avez enterré tous vos enfants. Vous avez pris l'habitude de suivre en sautillant les fourgons mortuaires de vos petits-enfants dont vous avez enterré le dernier en décembre. Et voilà maintenant que vous entamez guillerette la mise en terre de vos arrières. Vous croyez qu'ils ne se sentent pas humiliés de vous entendre du fond de leur cercueil chanter d'une voix de jeune fille un requiem pour supplier le ciel de leur accorder un centimètre de paradis ? Et cette arrière-arrière de soixante-neuf ans que vous allez visiter chaque semaine à bicyclette en l'asile de dégénérés où elle profite sans entrain de son Alzheimer ?

– Elle me prend pour sa mère.

– C'est obscène.

Elle m'apparaissait le plus souvent en relief comme n'importe quel élément de la réalité, mais parfois son image s'écrasait. On l'aurait dite arrachée à une frise sculptée du Moyen Âge tandis que derrière elle le pot de résédas conservait ses trois dimensions.

– Vous n'êtes pas morte de honte ?

Un visage si aplati que le souffle souffrait pour cheminer. Sa voix en devenait nasillarde, une voix de speaker de jadis à faire pouffer.

– Le temps vous amuse ? Elles vous font rire les années ? Vous prenez la durée pour un spectacle ? Un plaisir ? Vous n'allez pas prétendre tout de même que vous avez engrangé un siècle et quart de bonheur ?

La cuisine me cassait les oreilles. Je me suis levée. Elle m'a suivie. J'ai ouvert la fenêtre pour laisser s'envoler le résultat d'un match de football qui tournoyait à ras du plafond en produisant un interminable bruit de ballon. J'en ai profité pour faire couler une cruche de café.

– Vous en prendrez bien une tasse ?

– Répondez à mes questions au lieu d'essayer de gagner du temps.

– Vous me fatiguez.

Je m'en suis versé un grand bol auquel j'ai mêlé une rasade de lait. Une sorte de potion qui a la faculté paradoxale de me mettre dans un état de relaxation propice à l'endormissement.

Il m'est arrivé plusieurs fois d'aller me mettre au lit au beau milieu d'une interview. Un jour, l'équipe d'un site australien m'a accueillie avec un bouquet de roses et une corbeille de croissants quand je suis réapparue sept heures plus tard échevelée dans la salle à manger. Une manigance pour m'amadouer et m'extorquer encore toute une journée d'entretiens.

J'ai filé dans le couloir. Cette furie m'a rattrapée.

– Où vous allez ?

– Me coucher.

Elle a posé sa main grise sur ma veine jugulaire.

– Votre pouls est pourtant régulier.

– À l'avenir, évitez de me toucher.
– Un vrai pouls de jeune fille.
– Qu'est-ce que ça peut vous faire ?
– Je voulais juger de votre état. À votre âge on ne se couche plus que pour mourir. Autrement, on court, on marche, on sautille afin d'épuiser assez l'organisme pour le contraindre à enfin caler.
– J'ai bien sommeil.
– L'interview n'est pas terminée.

Elle m'a pris le bol des mains et a couru à la cuisine le jeter à la poubelle sans même prendre la peine de le vider. Une sorte de claque sur le poignet et puis elle m'a ramenée au salon.

– Asseyez-vous plutôt sur une chaise, je n'ai pas envie que vous vous endormiez à force de vous vautrer.

Elle m'a assise en pressant de tout son poids sur mes épaules. Elle a recommencé à m'invectiver avec au coin des lèvres un peu de mousse de salive noirâtre.

– Si encore vous étiez gâteuse, mais pour achever de vous moquer du monde vous ne cessez d'engranger les diplômes. Si vous crevez un jour, ce sera enroulée dans toutes les peaux d'âne du monde occidental. Non seulement vous avez grade de professeur de médecine en cardiologie, rhumatologie, dermatologie, êtes agrégée de mathématiques, de droit, d'économie, pourvue d'un doctorat en physique, en astronomie, en toutes les disciplines scientifiques imaginables et toutes les langues du planisphère, sans compter que vous êtes assez démagogue pour être aussi bachelière en plomberie, pâtisserie, peinture, chaudronnerie. Non seulement, mais vous n'avez rien trouvé de mieux l'an dernier que d'apprendre par cœur le Coran, sans doute bien que femme pour devenir imam et je vois aujourd'hui éparpillés sur votre bureau assez de manuels de bouddhisme pour passer haut la main l'examen de dalaï-lama. Vous qui savez assez de théologie pour être nommée évêque, qui avez écrit l'été dernier un second Deutéronome, à la Toussaint un cinquième évangile, vous qui êtes assez âgée pour avoir torché Jésus à Bethléem et assez bouffie d'orgueil pour convoiter la tiare.

– J'étudie pour éviter le désœuvrement quand les médias me laissent un instant de répit. Je crains la liberté, les horribles minutes d'absolue vacuité où l'on se met à penser aux fins dernières.

– Dernières ?

– Le décès, la culbute, la cabriole.

– À votre âge avancé, on a au moins l'humilité de ne pas employer des tournures désuètes auxquelles on ne comprend plus rien.

Elle valsait autour de moi. Je voyais son reflet dans le miroir. Un reflet indécent qui la déshabillait. Elle avait deux tétons noirs posés sur des monticules mornes d'une teinte plus claire qui semblaient irréels comme un conte pour enfants. Son postérieur était plat comme une photo de fesses sous la toile de l'affreux pantalon écossais dans lequel pendaient deux jambes comme des tiges lestées par des bottines qu'on aurait jurées découpées dans un catalogue en papier vieux de cent dix années.

– De toute manière, à votre âge dépassé, la mort est bien la seule pensée décente qui devrait vous monter à la tête. La mort ? Mais pourquoi la redouter quand on s'est à ce point bâfré d'existence ? Qu'on s'est tartiné de si épaisses tranches de vie ? Quand outre ses parents et ses collatéraux on a enterré ses descendants ? Vous projetez peut-être de vous en prendre aux générations futures ? De porter en terre les bébés à naître l'an prochain quand ils seront devenus grands-pères ? La mort n'y pensez plus, mourez, mourez, mourez donc avant de connaître l'absolue solitude. Quand vous aurez enterré vos arrière-arrière-arrière-petits-enfants, votre sang sera trop dilué dans les veines de leurs descendants pour qu'ils puissent vous reconnaître avec eux le moindre lien de parenté et vous n'aurez plus aucune famille. Quant à vos amis, vous avez dû enterrer le dernier il y a plus de cinquante ans. Et puis ne vous faites aucune illusion, vous n'allez pas vers le beau temps. Toutes vos saisons sont passées, même votre interminable hiver. Si vous ne disparaissez pas sans vous faire prier, une loi sera votée, un décret tombera, un ukase vous condamnant à la peine capitale et vous filerez six pieds sous terre manu militari. Mieux vaudrait pour vous avoir le courage de vous jeter dès à présent par la fenêtre afin de vous épargner cette épreuve.

– Je ne me suiciderai jamais. J'attendrai que Dieu me tue.

– On se suicide à dix-huit ans, à quarante ou même à quatre-vingt-cinq. Mais quand on a encombré la planète près de cent vingt-six années, la défenestration est une simple opération hygiénique. Vous êtes un détritus vivant, on vous demande juste de l'occire afin qu'il puisse être incinéré sans susciter un tollé des professionnels de l'humanisme.

Dans un tiroir du chiffonnier, j'ai une petite bombe de gaz lacrymogène dont je me suis servie une fois à l'encontre du jeune gardien de l'immeuble qui venait d'entrer en fonction et dont selon les policiers qui l'ont interrogé par la suite j'incarnais l'irrésistible fantasme gérontophile. Un escogriffe à qui le gland presque bleu donnait une étrange allure. Il avait fui à la première salve.

– Venez prendre le soleil sur la terrasse et périr.

– Vous voyez bien qu'il fait nuit.

– Venez au moins donner un coup d'œil au vide.

– Accordez-moi avant une dernière gorgée de rhum.

Elle m'a laissée atteindre le tiroir. Je l'ai aspergée de gaz.

– Méchante vieille.

Mais elle ne bronchait pas.

– Vous en voulez encore ?

– Avec plaisir.

J'avais beau lui vider la bombe au visage, elle me fixait insolemment de ses petits yeux mats comme la poussière.

– Vous en avez terminé ?

Le gaz avait reflué vers moi. J'essayais de me diriger vers la salle de bains afin de bassiner mon visage, mais elle me retenait par la manche de mon chemisier.

– Pleurez votre soûl.

Je poussais de petits cris tant me faisaient souffrir mes cornées incendiées.

– Vieille sotte, n'aviez-vous pas remarqué que j'avais laissé mon visage à la maison ? Notre époque est de plus en plus terrifiante, même en plein jour les rues ne sont pas sûres. Alors, je laisse toujours ma frimousse au coffre et je n'en porte qu'une médiocre image en noir et blanc bien trop charmante encore pour rencontrer une femme aussi infiniment périmée que vous.

Cette nouvelle manie d'économiser sa dépouille comme un uniforme de gala, ne la revêtant que pour les grandes occasions, acceptant même de déambuler chez soi sous forme de croquis par crainte de l'user à force de la devoir trop souvent doucher pour faire disparaître les taches et les éclaboussures dont vous souille la vie quotidienne. Il est sans doute plus pratique de jeter un mauvais cliché à la poubelle que de remettre chaque jour en état un corps non seulement salissant mais prompt à s'abîmer, froisser ses muscles, briser ses os, ouvrir une plaie vive à la moindre chute. Mais contrairement au drap, le tissu physiologique s'use même si l'on ne s'en sert pas et le remiser dans une armoire ne permet en aucune façon d'interrompre le vieillissement. On se prive en outre du plaisir de porter son corps à longueur de temps et de se donner l'illusion qu'il est tous les jours fête.

Elle m'a traînée jusqu'à la baie vitrée. Elle l'a grande ouverte. Elle a voulu continuer à me faire avancer, mais je lui ai opposé la force d'inertie de mes cent vingt-cinq ans.

– Vous êtes une vieille peste.

Elle s'est arrimée à mon bras gauche qu'elle s'est mis à tirer violemment. Mes années ne pesaient pas le poids d'une ancre et elle a réussi à me déplacer jusqu'au milieu de la terrasse.

– Approchez-vous de la balustrade.

– Ce n'est pas la peine.

– Je vous pousserai quand vous penserez à autre chose. Ensuite, vous n'aurez pas le temps d'avoir peur. Cinq étages défilent vite et le grand air grogguit.

– Je crains de n'être pas encore prête.

– Vous êtes une drôle de pute.

Les jeunes générations sont peuplées de poissardes, pas de quoi se formaliser pour une grossièreté aussi anodine.

– N'en croyez rien, j'ai abandonné la sexualité depuis des années.

– Et tous ces hommes qui se prétendent vos amants ?

– Ils se vantent.

– On a dit l'an dernier que vous étiez enceinte ?

– Une grossesse nerveuse, extra-utérine, une tumeur, un fibrome, un abcès. Le mal est passé avec un bain de siège.

– Vous me prenez pour une conne ?

La femme de s'emparer de moi. J'ai vu dans son regard défiler son projet diabolique. Elle entendait nous asseoir sur la balustrade et choir avec moi plutôt que s'en sortir au prix de me laisser la vie sauve.

– Décidément, madame, je détesterais mourir.

Saisissant ma maigre crinière, il m'a semblé qu'elle montrait ma tête à la foule comme Sanson celle de Marie-Antoinette aux citoyens réunis place de la Révolution.

– Vous voyez la ville ?

Dire que j'aurai assez vécu pour voir Paris devenir carré de long en large et de bas en haut avec ces monuments séculaires qu'on a ramollis, jetés en de grands moules, chauffés à blanc pour en faire ces bâtiments méconnaissables sinistres comme ces pommes, ces poires, ces fruits de toutes sortes qu'on oblige depuis trente ans à pousser sous forme de quadrilatère pour pouvoir les conditionner plus commodément, tout autant que les œufs, la volaille, les chèvres, les vaches, les bœufs, les porcs, les poissons persécutés jusqu'au fond des mers et d'une façon générale tous les produits animaux dévolus à l'alimentation. Dans certaines dictatures, des monstres vont jusqu'à obliger les esclaves à accoucher dans des cubes. Une descendance à pattes courtes, aux bras juste assez longs pour tenir un plateau dont on peut se servir de pouf le reste du temps.

Pauvre Notre-Dame, avec ses gargouilles au museau aplati, les malheureux tableaux du Louvre qu'arguant du rétrécissement des murs on a réduits comme des crânes jivaros, sans parler de l'infortunée Montmartre avec son Sacré-Cœur devenu un absurde hangar à bateaux sous prétexte qu'un jour l'air sera assez lourd pour autoriser les régates au ciel.

– Elle est belle cette ville depuis qu'on l'a repeinte.

Une décision de mauvais goût.

– Toutes ces tours comme des cerises à l'eau-de-vie, les boulevards luisants et verts comme de l'angélique confite. N'est-ce pas appétissant ?

Je reculais vers le salon. Emportée par son lyrisme, elle n'avait d'yeux que pour Paris.

– On en mangerait. Quel beau gâteau, comme vous allez être heureuse de tomber dedans comme la souris de l'histoire périssant joyeusement dans une jatte de crème à la vanille. Peut-être que la belle esplanade rouge comme du sirop que j'aperçois en bas aura le goût de la chair de la grenade dont elle a pris la couleur ? Vous la napperez ton sur ton de votre sang et vous aurez soin de prendre le temps d'en savourer une bouchée avant de crever enfin.

J'ai fermé la baie vitrée. J'ai déclenché la fermeture du volet roulant. Un appartement merveilleusement isolé qui les mois d'hiver coûte à chauffer un soupir de flûte. Elle pouvait pratiquer le cri, le hurlement, sortir une sirène de son arrière-train, je ne subirais aucune nuisance sonore à l'intérieur. Les voisins ne l'entendraient pas davantage et nul n'ignore la propension des villes à se boucher les oreilles.

Je suis allée à la cuisine. J'ai entrepris la consommation de mon dîner de poulet dans le bain de vapeur de l'actualité. On évoquait une trentaine de résurrections. Des vieillards surtout, octogénaires, nonagénaires, jeunes centenaires ayant atteint le siècle le mois dernier, ainsi qu'une femme de trente-six ans et un bébé mort le jour de son premier pas.

Un phénomène qui à mon avis prend beaucoup trop d'ampleur depuis la récente invasion de l'espace scientifique par des métaphysiciens maîtrisant les subtilités de la mécanique quantique. Domestiquer les miracles et en faire la thérapeutique des morts lorsque toutes les médecines ont échoué me semble un usage blasphématoire de Dieu réduit à l'état de remède de margoulin.

En ce qui me concerne, mon testament proscrit ce genre de pratique. Rompue aux écritures de si nombreuses religions, j'exige qu'on fasse de mon corps mort un usage traditionnel sans lui infliger de malhonnêtes manipulations transcendantales.

Je refuse de faire partie des lâches macchabées prêts à toutes les compromissions pour éviter la terrible croisière sur le Styx, la brûlure de l'enfer et les vicissitudes de la métempsychose.

Je me noierai éternellement, rissolerai sur les grils de Satan, me réincarnerai en puce, en ortie ou en papillon sans réclamer aucun sursis. Je ne chercherai pas à échapper à la condition humaine en espérant comme d'aucuns ressusciter après chaque agonie tant que l'univers n'aura pas bouclé la boucle et rejoint l'absence absolue qui régnait avant son expansion.

La mort est désagréable, mais rien ne l'empêchera

jamais tôt ou tard de tous nous emporter. Ils en seront pour leurs frais ceux qui espèrent la voir bientôt éradiquée comme le cancer et la sclérose en plaques. En définitive, mieux vaut croire en une résurrection classique dans l'au-delà d'où personne ne reviendra jamais pour nous dire qu'il n'existe pas.

Au lieu de chercher à nous débarrasser de la mort, nous gagnerions à procéder à la vidange de l'Histoire. Il n'est plus admissible de porter sur nos épaules le poids des victimes de ce passé qui plonge ses racines de plus en plus loin au fur et à mesure que se multiplient les fouilles archéologiques.

Grâce au progrès des techniques de reconstitution, on obtient à présent de trop crédibles images des martyrs assassinés, suppliciés, exterminés au trois cent vingtième siècle avant notre ère quand les caractéristiques corporelles de l'espèce humaine hésitaient encore entre le macaque et le démiurge avant de finir par adopter la forme bâtarde que nous avons aujourd'hui.

On ne compte plus les sectes décidées à remonter coûte que coûte le fleuve des millénaires pour retrouver les prédateurs de toutes ces populations douloureuses afin de les anéantir avec les armes d'aujourd'hui dont elles auront rempli avant de partir leurs navires.

Nous voyons si loin, si précisément, que la notion même d'histoire se délite. La profondeur du temps n'est plus, le présent a dévoré le passé, l'a fait sien. Nous sommes contemporains des légions romaines, des pharaons, des premiers Sapiens, des hominidés qui nous ressemblent comme des cousins velus. Nous sommes devenus frères de tous les vivants qui ont pu nous ressembler aux époques les plus archaïques.

Le champ de la ressemblance s'étend d'année en année. Depuis des décennies, les scientifiques ne nous accordent pas de différence probante avec les gorilles et les singes de toute obédience. Ces derniers temps ils nous trouvent même de troublantes similitudes avec les rats et les poux qui peuplent leur pelage.

Quant aux biologistes de la jeune école de Saint-Pétersbourg, ils nous ont découvert l'an passé un air de famille avec le bois mort, la pluie, les cailloux, le béton, les barres d'acier dont on bâtit nos ponts, brisant pour la première fois le mur qui même chez les animistes a toujours séparé l'inerte du vivant.

Bientôt nous souffrirons jusqu'au tréfonds de notre chair en pensant à nos camarades troncs d'arbre roulés par tous les temps dans l'eau glacée de la Volga, aux giboulées frigorifiées, à nos collègues grains de sable nostalgiques de l'ère antédiluvienne où ils étaient encore la substance de roches dont l'érosion les a impitoyablement détachés.

Je ne parle pas des dinosaures dont on commémore chaque année la disparition. Tous les enfants d'aujourd'hui sont élevés dans le culte du diplodocus qu'ils doivent aimer comme un oncle, un grand-papa, s'ils ne veulent pas passer pour les fils indignes de la galaxie.

Et toute cette tristesse de pacotille à l'évocation du tannage de la peau des crocodiles dont au siècle dernier on faisait encore des sacs et des chaussures que l'on traque aujourd'hui à travers le monde pour leur assurer une sépulture décente après toutes ces années d'outrage et de sacrilège.

Tout à coup, j'ai perçu sa présence. J'inspectais la cuisine du regard sans distinguer son corps. Elle avait dû trouver le moyen de s'immiscer après s'être débarrassée de toute son apparence sur la terrasse.

Je la sentais chargée d'imprécations qui frémissaient d'impatience. Dépourvue de tout simulacre de corporalité, elle n'avait rien pour dire. C'étaient des phrases désincarnées à l'état de pensées circulantes, traversant mon cerveau comme des rayons ionisants. Des injonctions à mourir, disparaître, abandonner la réalité, se contenter à jamais de l'imaginaire existence des morts.

Il est toxique parfois le vocabulaire, même quand aucune voix ne le porte. Un poison, un agent infectieux susceptible de corrompre votre joie minimale d'exister. J'ai passé toute la nuit à le traquer avec l'aspirateur. Quand le sac a été plein, je l'ai flambé dans l'évier. Ils répandent une odeur pestilentielle, les mots, quand ils brûlent. Ils braillent, ils émettent un rire d'enfant triste.

Elle était bien embarrassée de se retrouver désormais privée de mots tout autant que de matière. Épuisée de m'avoir tant haïe, elle s'était réfugiée apeurée au fond d'un coquetier. Je l'ai vidé cul sec.

Son âme, son esprit, la part abstraite d'elle, cette substance mystérieuse en serait réduite à dévaler dans mon ventre le toboggan de la digestion. Humiliante destinée pour un ego, ce souffle, cet éther, dont le visage chargé ce matin encore de le représenter gisait dans un coffre et dont le corps qui avait servi à le trimbaler était pendu entre deux manteaux dans une armoire, tous deux à l'état de chair désormais inhabitée bonne à nourrir les bêtes carnivores et les cannibales.

251

Je n'en pouvais plus de l'actualité qui persistait à tonitruer. J'en avais pourtant signé des pétitions pour qu'on puisse comme autrefois lui clouer le bec sans être obligé de couper le courant et par là même le réfrigérateur dont les aliments ne manquaient pas de se plaindre par la suite d'une rupture de la chaîne du froid. Mais on écoute rarement les ancêtres.

On racontait de toutes parts, des images s'agitaient sur les murs, les assiettes, des faits divers se déroulaient dans l'obscurité des tiroirs tandis que tombaient du plafond de grosses gouttes gorgées de guerres vieilles de soixante siècles aux victimes éventrées avec des épées de granit.

Les nouvelles avaient envahi le salon, la chambre, jusqu'aux toilettes où pour satisfaire un besoin naturel j'en ai été réduite à tremper un ministre des Affaires étrangères en pleine conférence de presse. L'eau de la chasse ne fut que déclarations contradictoires de chefs d'État sud-américains sur le perron de la Maison-Blanche.

Je suis allée sur le palier couper l'électricité afin de réduire toutes ces engeances au silence et à l'effacement.

Le ciel était blanc quand j'ai ouvert la baie vitrée. J'ai retrouvé son apparence en morceaux sur le carrelage. J'ai ramassé sa tête de papier détrempée par la sombre rosée de la nuit urbaine, le cliché de fesses qui lui tenait lieu de fondement, son pantalon écossais et quelques tiges tordues. J'ai déchiré son visage et son derrière en fragments minuscules. J'en ai jeté les confettis dans la brise matinale. Le pantalon a dérivé en vol plané vers la Seine, les tiges ont à peine cliqueté en atteignant l'esplanade.

Je suis rentrée en frissonnant. La journée s'annonçait glacée.

Quand les pédophiles se pavanaient

Je vois la neige tomber à travers les barreaux.

Pour une vieille affaire de mœurs, je suis emprisonné dans un pays qui pue l'argent sale et le chocolat au lait. Je suis un violeur, mais il ne faut rien exagérer. Toutes les filles de treize ans ne sont pas des anges et leurs parents préfèrent souvent les inscrire dans une agence photo plutôt qu'avoir à les surveiller et ne pas encaisser la monnaie. Je l'ai sodomisée par délicatesse, car je craignais de gâcher sa vie en lui laissant un mauvais souvenir qui lui aurait imposé l'épreuve d'un avortement. Je ne suis pas plus sodomite qu'un autre, d'ailleurs un jeune vagin est aussi étroit qu'un trou du cul.

On devait me photographier avec elle pour *Cook & Eat*, un magazine culinaire très populaire en 1975. Un portfolio glamour destiné à convaincre les Américaines que les grands chefs français étaient aussi séduisants que des crooners.

On a attendu longtemps le photographe. Le téléphone de la villa a sonné à dix-huit heures. Il avait sauté avec sa Porsche dans le fleuve Trinity.

– Personne ne l'a vu remonter. Il doit être au fond de l'eau.

– Vous nous envoyez quelqu'un d'autre ?

253

– La séance est reportée. Vous pouvez rentrer chez vous.

J'ai préféré ne rien dire à la gamine. J'aimais bien cet endroit, un immense bâtiment de mauvais goût avec une affreuse piscine en forme de cœur donnant sur un jardin de cactus. Elle appartenait à un acteur de westerns qui la louait à des boîtes de production.

Elle était assise au salon bien droite dans un fauteuil en plastique blanc. Un visage de collégienne revêche, un corps d'autant plus désirable que la nature terminait à peine de lui donner sa forme adulte.

– Tu as tes règles ?

Elle a secoué le menton.

– Alors pourquoi tu fais cette tête ?

Elle ne m'a pas répondu. J'ai toujours détesté les boudeuses. Je lui aurais bien balancé une paire de claques mais elle était plus grande que moi. J'ai préféré lui servir un sourire paternel.

– Tu as soif ?

– Je voudrais un Coca.

Je suis allé à la cuisine. J'ai mélangé du sirop de cassis avec du champagne.

– Bois ça.

Elle a humé en pinçant les narines.

– C'est quoi ?

– Du Coca français.

– J'en veux pas.

– Tu n'es plus une morveuse, il est temps que tu boives autre chose que de la limonade.

Elle a grimacé.

– Si tu veux être star, il faut être un peu alcoolique. Regarde Marilyn, elle était bourrée du matin au soir.

Elle a souri. Elle se voyait déjà gravir en robe lamée les marches du palais des Festivals. Je me suis agenouillé devant elle les mains jointes.

– Bois, je t'en supplie.

Elle a ri. Elle a vidé le calice jusqu'à la lie.

Elle s'est avérée coriace. J'avais réussi à lui faire boire trois verres mais elle n'était même pas assez soûle pour se laisser caresser sans me repousser en piaillant. J'essayais après chaque tentative de trouver un sujet de conversation.

– Tu as déjà posé nue ?

– En maillot, pour un calendrier.

– Si tu te mettais en maillot ?

– Je n'ai pas de maillot.

– En culotte, alors.

– Pourquoi ?

Elle ne comprenait rien. J'avais envie de la soulever et de la jeter dans la piscine. Elle aurait bien été obligée en sortant de quitter ses vêtements mouillés.

J'étais énervé, j'ai quitté le salon et je me suis baladé dans la maison. Je cherchais vaguement quelque chose. J'ai trouvé du Valium dans l'armoire à pharmacie d'une salle de bains.

J'ai dissous le contenu de trois gélules dans un verre de jus d'ananas. Je pensais qu'elle s'endormirait. Mais elle est simplement devenue molle. Une poupée en caoutchouc un peu baveuse et à présent complètement stone.

Je l'ai déshabillée. Elle s'est laissé faire en disant *Why ?*

Why ? Why ? avec un petit accent texan très désagréable. Je l'ai sautée.

Elle pleurait dans la voiture quand je l'ai ramenée chez elle. Avec mon pénis épais comme un auriculaire, je n'avais pas pu lui faire grand mal. Les enfants pleurent au moindre bobo.

Ensuite, je suis rentré tranquillement à mon hôtel faire de beaux rêves. Je n'avais aucun regret d'avoir passé en sa compagnie une soirée excitante qui serait dûment payée à ses maquereaux de parents au prix d'un shooting.

J'ai été arrêté le lendemain matin à onze heures. On m'a foutu dans une répugnante geôle de Dallas. On m'a libéré sous caution trois semaines plus tard. J'ai pris le premier vol pour la France. J'ai été accueilli triomphalement à ma descente d'avion. Vous pouvez retrouver les images d'archives.

Le lendemain, la presse s'est félicitée qu'un grand homme des métiers de bouche ait échappé aux lois iniques de ce pays puritain. Il ne s'est pas trouvé un président, un ministre, un journaliste pour verser une larme sur l'organe profané de l'enfant du Texas. Un éditorialiste a même souligné qu'elle avait un corps de femme.

– On n'a jamais que l'âge qu'on paraît. N'importe quel homme se serait laissé tenter. D'ailleurs, elle n'en était sûrement pas à sa première aventure.

On se félicitait de mon retour au nom de la cuisine française que j'avais été trop généreux de vouloir exporter chez des sauvages. On m'interviewait sur toutes les radios, m'arrosant de questions égrillardes, faute sans doute de pouvoir asperger de sperme les fesses de la pauvre enfant sur lesquelles au mitan des années 1970 aucun Français n'aurait songé à verser la moindre larme.

À cette époque, les pédophiles se pavanaient. Romanciers, philosophes, psychanalystes et pédopsychiatres signaient de concert des pétitions pour tirer des geôles les baiseurs de gamins impubères et proposaient au Parlement d'abolir la loi interdisant aux adultes de prodiguer coït à ces pervers polymorphes de mouflets, avec la bénédiction de l'intelligentsia tout entière dont aucun des membres jamais ne moufta.

En 1973, on avait même accordé un grand prix de fin d'année à un roman sanctifiant l'amour entre petits et grands. L'auteur avait publié un essai dont personne n'avait demandé l'interdiction, pour supplier les pouvoirs publics de confier enfin l'éducation des mômes à des pédophiles responsables plutôt qu'à des parents dont l'obsession était de les contraindre et de les battre.

Tout le monde a oublié aujourd'hui cette morale désuète, semblant ignorer que la nôtre poursuivra son évolution, rendant un jour périmé et abject le consensus actuel que nous prenons pour une acmé.

La semaine dernière, j'avais encore table ouverte dans tous les médias et les ministres venaient fréquemment se gaver dans mes restaurants, s'empiffrant d'œufs de caille au karasumi, de truffes en chaussette d'agrumes roses, de tartare de biche mariné à l'armagnac servi dans son berceau de trompettes-de-la-mort, de pâté de fruits de la passion en cassolette, s'enivrant de mes vins embouteillés au XIXᵉ siècle dont chaque flacon est un monument historique. Ils ne les appréciaient pas plus à leur juste valeur qu'un chien un os tiré du reliquaire de saint Jean-Baptiste.

Ils demandaient rarement l'addition.

Trente ans après les faits, un juge du Texas en quête de gloriole a déterré mon dossier et lancé contre moi un mandat d'arrêt international. On m'a interpellé devant mon chalet où je passais les vacances de Noël avec ma famille. Une résidence de vacances hors de prix censée me servir de base arrière en cas d'émeutes en France et qui s'est avéré être une nasse.

Un pays neutre qui d'ordinaire aime les célèbres et les riches. Selon la légende, les enfants mangent ici de l'or en barres pour leur quatre-heures et les financiers s'injectent le sang des adolescents morts d'overdose transsubstantié en argent frais par les narcotrafiquants d'Amérique du Sud.

Le gouvernement voudrait m'expédier au Texas en échange d'une indulgence, d'une paire de lunettes fumées posée sur le nez des agents du Trésor américain pour assombrir leur clairvoyance quand ils éplucheront les comptes d'un Alexandre le Grand de l'évasion fiscale dont la fortune rapatriée aux États-Unis mettrait plusieurs banques autochtones en faillite.

Je suis enfermé dans une grande cellule. Une belle salle de bains, un minibar sans alcool, une bouilloire électrique qui me permet de préparer une tasse de thé sans avoir à sonner le gardien toutes les cinq minutes. Il y a un lit à deux places mais quand j'ai réclamé une fille, le directeur s'est déplacé pour me signifier une fin de non-recevoir.

– Notre pays a gardé un peu de cette rigueur calviniste

qu'on nous a reprochée parfois. Il est malheureusement interdit aux prisonniers de recevoir des femmes.

– Et un jeune homme ?

Il a rougi.

– Non plus.

Il a baissé la voix.

– Pour me faire pardonner, je vais vous faire apporter un peu de champagne.

En fait de champagne, j'ai eu droit à une bolée d'une espèce de vin mousseux acide comme du citron.

La grille de la baie vitrée semble rayer la neige quand je la regarde du fond de mon lit. Je l'ai vue tomber la nuit dernière en écrivant une lettre à un ministre qui depuis quelques mois baise ma femme.

– Si tu pouvais au moins essayer de m'obtenir un rendez-vous avec l'ambassadeur.

De nos jours, on se tutoie facilement entre amant et mari. J'ai arraché la page du bloc, je l'ai déchirée. Je ne voyais plus très bien l'intérêt d'une entrevue avec cette haute personnalité sans aucun pouvoir sur la justice du pays qui me retenait prisonnier.

J'aurais mieux fait d'organiser depuis ma cellule une interview avec les télés qui me harcelaient. Mon avocat avait obtenu qu'on me restitue mon portable dès le début de ma détention et je pouvais organiser facilement une vidéoconférence.

J'avais éteint l'appareil. J'aimais bien cette impression de vie interrompue, de silence soudain comme quand on claque derrière soi la porte d'une chambre calme dans une maison où la fête bat son plein.

Mon existence n'avait pas cessé de hurler à mes oreilles depuis ma naissance. Enfant, mes parents cornaient autour de moi comme des klaxons. Dès quinze ans, j'avais connu l'atmosphère surchauffée des cuisines, le boucan des ustensiles, des ordres et des cris des chefs. Ensuite, la grande cavalcade de la course au succès avec l'achat de cette auberge pourrie à Vauvenargues, puis le carnaval du vedettariat quand un critique gastronomique avait découvert là-bas ma poule fermière au bois de Panamá.

– C'est le cuisinier le plus doué de sa génération. À l'âge où d'autres ne sont encore que mitrons, ce poème gustatif fait de lui un Rimbaud qui aurait préféré le fai-tout à la plume.

Dès la semaine suivante, il fallait réserver trois mois à l'avance pour espérer pouvoir goûter la bête. Au bout de cinq ans, j'avais déjà bâti un empire. Une quinzaine de restaurants dans les capitales du monde entier, dont deux à Paris, un à Londres, un à New York, un à Moscou et dans toutes les métropoles du continent asiatique.

J'étais devenu une star. Le premier cuisinier de l'histoire à faire la une de *Time Magazine*. Tout le monde voulait coucher avec moi. On me supposait les mêmes talents au lit que derrière les fourneaux. Elles étaient déçues de ne pas mariner, de ne pas frire, de ne pas tournoyer dans ma chambre comme volaille en broche, de ne pas retrouver dans mes baisers le goût des épices dont je saturais mes sorbets au chocolat et de ne pas découvrir sous mes vêtements un corps laiteux comme les assiettes en porcelaine de Limoges où elles avaient dégusté mon foie de veau aux écrevisses de l'étang de Berre.

– Vous êtes même assez grossier.

– Vos bourses renferment des testicules mous et ratatinés comme des raisins de Corinthe.

– Votre verge courte et maigre rappelle ces frites en allumettes que servent les bistrotiers.

– Quant à vos fesses, elles sont si discrètes que pareil à Lucifer vous pourriez vous passer d'en avoir.

– En plus, votre peau dégage une désagréable senteur de domestique parfumé.

À force de planter en elles mon aiguille, un poète aurait pu dire que je les cousais. Elles sortaient de chez moi le visage cramoisi, non pas brûlant d'avoir batifolé, mais furieux de n'avoir pas joui. Je ne me souciais pas davantage de leur plaisir que des souffrances d'une langouste plongée vivante dans le bouillon.

J'ai du mal à comprendre ce qu'on me reproche. Cette fille est à présent une rombière de plus de quarante ans qui coule des jours heureux avec mari, mioches, caniche et deux ou trois amants dans les placards. Elle me doit la célébrité que lui a value notre amourette et elle s'est fait payer grassement les milliers d'interviews accordées à tous les networks d'Amérique du Nord, aux tabloïds anglais et jusqu'aux chaînes câblées d'Océanie.

Grâce à moi, elle a pu mener cette carrière de victime qui est à notre époque la plus lucrative si l'on sait habilement exploiter son malheur. Dans sa vie fade d'actrice ratée, l'intrusion de mon sexe à l'intérieur de sa cavité aura été le seul événement bénéfique dont elle aura pu tirer profit et renommée. Pour ne rien dire des centaines de milliers de dollars que je lui ai versés à titre de dommages et intérêts.

Une histoire qui m'aura coûté cher. Si j'en avais eu

une en ce temps-là, il aurait mieux valu encore que je couche avec ma fille. Au moins le fric que je lui aurais versé ne serait pas sorti de la famille et n'aurait constitué au bout du compte qu'une simple avance d'hoirie. Ce n'est tout de même pas ma faute si j'ai toujours préféré les gamines à leur grand-mère.

Quatre heures du matin. La neige tombe encore. Une patrouille tourne dans le parc. On m'a apporté une télé en début d'après-midi. L'image n'est pas bonne. Les gardiens ont défilé tout l'après-midi mais se sont avérés incapables de la régler.

Je bois des théières entières, je fume des cigarettes. J'entends battre mon cœur plus fort chaque fois que je tire une bouffée.

Au soir de ma vie, je regrette de n'avoir pas tué cette fille après usage. Une noyade, un corps flottant à la surface de la piscine turquoise sous les rayons de la lune. Moi, ensanglanté au salon, après m'être ouvert les arcades sourcilières d'un coup de tête contre le mur.

Un appel à la police d'une voix apeurée.

– Deux types armés de barres de fer. J'ai essayé de la défendre. Ils m'ont frappé. J'ai perdu connaissance.

– Ils étaient de quelle couleur ?

– Je n'en sais rien, ils avaient éteint la lumière.

Les Texans préfèrent arrêter des Noirs. Une paire de pauvres diables aurait fait l'affaire. Une odeur de cochon grillé le soir de leur exécution sur la chaise électrique. Une odeur exécrable, mais dans cet État esclavagiste même le Ku Klux Klan n'a jamais cuit ses victimes à la vapeur.

Vers la nuit

Mon homme n'est plus jeune. Depuis quelques années moi non plus. À soixante-cinq ans, une femme est une vieille dame en formation. En marchant dans Paris, je m'aperçois que les hommes préfèrent les étudiantes. Comme j'apparais encore de loin en loin dans les médias, il leur arrive à l'occasion de me dévisager. Il ne s'en trouve plus aucun pour caresser comme autrefois du regard le corps sur lequel ma tête est posée.

Je suis écrivaine, j'ai publié mon premier livre à vingt ans. Une histoire érotique de jeune fille culottée. J'étais jolie, on me prenait pour elle, la critique a trouvé mon roman fabuleux. J'ai dû attendre de prendre des rides pour ne plus ressembler à mes héroïnes et entendre parfois parler de mes qualités littéraires.

Ma carrière fut chaotique mais j'ai toujours gagné ma vie, même si pour me faire remarquer le déclin de ma jeunesse à certains moments on m'oubliait. Ma quarantaine fut désertique. On me publiait rarement. On ne me lisait guère. On m'invitait à des débats sur la maturité. On me demandait de ne pas chercher à donner de moi une image trop juvénile.

– Évitez de vous pomponner. N'oubliez pas non plus qu'une chevelure poivre et sel crève l'écran.

Ils auraient voulu que la peau de mon visage soit froissée comme un chiffon de papier, mes chairs pleines de creux et de bosses comme un canapé Chesterfield afin de me trouver en parfaite harmonie avec le sujet de l'émission.

– Quarante-quatre ans, la gueule de bois des belles.

Je me sentais humiliée quand la maquilleuse effaçait mon rouge à lèvres et accentuait mes cernes. Je préférais pourtant la honte au trou noir de l'anonymat.

Je n'ai pas d'enfants. J'ai toujours préféré les chiens et les mâles humains, les peaux velues où la main fourrage. J'éprouve un profond dégoût pour les corps neufs. Mes amants ont toujours été mûrs. J'ai perdu mon hymen à seize ans avec un peintre de soixante-trois beaucoup trop fauché pour qu'on puisse me soupçonner de l'aimer pour son argent. Lassé d'être pris pour mon grand-père, c'est lui qui a rompu quelques semaines après notre rencontre.

Mon homme est un écrivain d'autrefois. Une gloire des années 1980. Un oublié. Il a un quart de siècle de plus que moi. Il n'est pas alerte. Il marche encore un peu, mais lors de ses rares sorties il préfère se laisser trimballer en chaise roulante. Je le pousse fièrement comme s'il était le fruit de mes entrailles.

Je l'ai rencontré en septembre 1978. Ses livres étaient de bonne facture. J'admirais sa manière de faire semblant d'avoir du talent, du génie, de fagoter des histoires avec des phrases tonitruantes à réveiller un mort. Son œuvre avait le charme de ces filles sans attraits qui vous jouent la beauté comme une comédie. À force de masques et de falbalas on les prend pour des splendeurs comme on prend pour Jules César un godelureau grimé affublé d'un péplum.

Je médis de lui parce que je l'aime. Même dans son état, il me semble encore qu'il pourrait se trouver une envieuse pour me le prendre.

Il était morose en ce temps-là. Un désenchantement, la peur de la mort subite, de la vieillesse, de la ruine, de la fortune, de la péremption.

Il ne comprenait rien à sa vie. Un brouillard d'événements, de déceptions, de bonheurs filants, sans parler du regret de se retrouver à cinquante-quatre ans sans avoir rien bâti d'autre qu'une œuvre trop médiocre pour passer au travers des barbelés de la postérité.

L'existence était pour lui un malheur, l'avenir une menace, l'insouciance une fiction, le bonheur une religion dont il serait toujours l'éternel mécréant.

Nous nous sommes connus à la télévision. Une émission littéraire où il avait si bien monopolisé la parole que l'animateur semblait craindre de le voir prendre sa place et transformer le débat en monologue où il se chargerait de répondre aux questions saugrenues qu'il se poserait à lui-même sans la moindre vergogne.

Je l'écoutais, heureuse de l'entendre gueuler, soulagée à la perspective que le temps manque pour m'interviewer. Moi l'empruntée des plateaux, toujours dans l'espérance d'une panne de son qui me dispenserait au dernier moment d'ouvrir la bouche. Le plaisir de me savoir vue suffisait à combler ma vanité.

Le taxi que son éditeur lui avait commandé s'est perdu dans les méandres de la grande banlieue sans jamais trouver la route du studio. Il a partagé le mien. Il continuait

265

à parler en faisant de grands gestes comme si la voiture était un studio et le chauffeur un journaliste chargé de le questionner sur l'avenir du monde. Il regardait droit devant lui, imaginant peut-être qu'installée sur le capot une caméra le dévisageait.

J'ai demandé au chauffeur de s'arrêter devant l'Apollinaire, un restaurant du boulevard Saint-Germain remplacé aujourd'hui par un marchand de glaces.

Je l'ai poussé dehors.

Planté sur le trottoir, il regardait autour de lui en clignant des paupières chaque fois que son regard rencontrait une enseigne lumineuse ou un lampadaire.

– Je n'habite pas là.

– Vous avez faim ?

– Moi ?

Il était ahuri. Il jetait des coups d'œil aux passants, comme si je venais de poser une question générale à l'adresse de l'humanité.

– On pourrait dîner ?

Je suis entrée dans le restaurant. Il m'a suivie. Nous n'avions pas réservé, on nous a placés près des cuisines. Dès le hors-d'œuvre, il a renversé son verre d'eau en se félicitant qu'il ne contienne pas du vin rouge.

Il avait souvent l'œil gauche qui s'échappait. La moitié de son regard se baladait sur la table d'à côté ou grattait le plafond à en effriter le plâtre. Quand ses deux yeux à la fois tombaient à nouveau sur moi, j'avais l'impression qu'il atterrissait.

– Vous ne trouvez pas que d'une façon générale les gens sont moches ?

Je suis toujours lente à parler. J'attendais sans rien
dire qu'il enchaîne.

– C'est bien fait pour eux.

Il baissait soudain la tête, semblant compter ses doigts.
Il se redressait.

– Je me verrais bien habiter tout l'hiver à Tanger.
Vous avez des enfants ?

Comme il insistait, je lui ai dit que non.

– Et vous ?

– Je ne crois pas.

Il n'était pas sûr de n'en avoir pas semé au début des
années 1960 dans une de ces partouzes que les ouailles
du prude Andy Warhol organisaient à la Factory dès qu'il
avait le dos tourné. Il était resté deux ans là-bas pour
changer de langue et tenter d'écrire dorénavant en anglais.

– Le public anglo-saxon est beaucoup plus vaste.

Il n'était parvenu qu'à ficeler un court roman sans âme
qui avait été refusé par tous les éditeurs des États-Unis.

– Vous avez déjà partouzé ?

– Je n'aime pas le sexe en bande organisée.

– Vous avez raison, à deux c'est plus pervers.

Je me suis aperçue par la suite qu'il se vantait. Il était
plutôt sentimental, plutôt flasque, gras et doux comme
une couette sous laquelle il fait bon ronronner les soirs
d'hiver.

Il m'a proposé ses services en regardant timidement
la nappe.

– On pourrait aller faire l'amour chez moi.

– Plutôt chez moi, mon chien m'attend à la maison.

– Vous lui avez donné un nom ?

– Il s'appelle Cocu.

Il m'avait été offert par un amant.

Nous nous sommes mis au lit une heure plus tard dans mon nid d'aigle avec vue. Un atelier perché sous les toits de Montparnasse acheté deux années plus tôt avec les droits d'auteur d'un roman qui avait obtenu les suffrages des lectrices de *Elle*.

Cocu tournait autour de nous en grognant comme une sentinelle acariâtre. J'ai dû interrompre ma fellation de bienvenue pour aller l'enfermer dans la cuisine où en signe de protestation il a renversé la poubelle.

Cette première nuit fut notre nuit de noces. Un mariage aurait été redondant.

Il habitait à l'autre bout de la ville. Cocu avait atteint le troisième âge et je n'étais pas enthousiaste à l'idée de le transbahuter plusieurs fois par semaine jusque chez lui. Il n'aimait pas le métro, il avait la manie de se faire voler sa voiture et comme j'avais pu m'en convaincre le soir de notre rencontre il n'avait pas de chance avec les taxis.

– Ils détalent quand je les hèle.

Lassé de traverser trop souvent Paris, il a bientôt déménagé pour s'installer à deux rues de chez moi.

Je lui avais proposé de partager avec lui un grand appartement. Il avait refusé de brûler les étapes.

– On attendra d'avoir un enfant pour cohabiter.

– Je t'ai déjà dit que je n'en voulais pas.

– À quarante ans tu changeras d'avis et on se tapera une flopée de trisomiques.

– Jamais ne me viendra l'envie de laisser pousser un machin dans mon ventre.

J'avais rencontré Simone de Beauvoir peu avant sa mort. Elle m'avait prévenue que de toute façon les écrivaines faisaient des mères de troisième ordre, à moins que leur talent ne s'évapore à la première tétée et qu'elles ne décident d'assumer la fonction abjecte de femelle de l'homme sans plus jamais écrire ni penser.

– Des millénaires de civilisation pour en arriver là.

En outre, je ne voyais pas pourquoi un homme de plus de cinquante ans me réserverait cette corvée alors qu'il en avait dispensé toutes ses précédentes maîtresses.

Pour le consoler je lui disais que des enfants nous auraient encombrés. Je serais devenue une matrone débordée qui lui aurait accordé ses faveurs en catastrophe, écartant de mauvaise grâce ses jambes qu'elle raserait une fois par an à l'approche des vacances pour n'avoir pas l'air d'une oursonne dans son maillot de l'année passée.

– Mais non, tu ferais une très jolie mère.

– Et puis, nos enfants, tu les aimerais plus que moi.

Ces discussions étaient fréquentes les premiers temps, mais au fil des années nous ne les reprenions que pour nous moquer de la smala d'imbéciles à la face de morphing de nos deux museaux auxquels pour tout terrain de jeux nous avions laissé le néant.

Je suis une femme jalouse. J'ai toujours fouillé ses affaires. On ne doit pas faire confiance à l'homme qu'on aime. Il ne m'a jamais trompée. À moins qu'il ne m'ait aimée au point d'être habile. Les hommes qui n'aiment pas se montrent désinvoltes dans l'adultère. Ils vont jusqu'à se couler puant l'autre dans le lit marital, asphyxiant l'épouse de l'odeur fade des sucs de leur amante.

Dès le début des années 2000, il n'avait déjà presque plus de groupies. Quand cédant à mes supplications son éditeur organisait pour lui une séance de signatures, seules quelques lectrices défraîchies s'avançaient jusqu'à la table en souvenir du temps lointain où ses histoires les faisaient rêver.

Il comptait sur ses Mémoires pour retrouver les feux de la rampe, mais lors de leur publication au printemps 2007 il a tout juste récolté quelques notules dans la presse et un grand article dans une revue désuète qui m'avait accordé le privilège de lui rendre hommage sous le pseudonyme de Sophie Magenta. La parution de ce papier lui a donné l'impression de ressusciter, il a conçu le projet d'écrire à nouveau des fictions.

Il a essayé, il s'est effondré sur son clavier. Un AVC qui lui a donné une excuse pour ne plus jamais recommencer.

Raide comme un cadavre, il est resté couché six mois sur le lit médical que j'avais loué le prix d'une limousine. J'avais refusé les soins infirmiers. Je ne voulais pas livrer son corps à d'autres mains que les miennes. Je changeais ses draps en souriant, me reprochant à haute voix de n'être pas arrivée à temps avec le bassin ou le pistolet. Je le nourrissais à la cuillère, je lui lisais les journaux et ses vieux livres où il espérait trouver l'inspiration pour en écrire de nouveaux.

Un matin, rentrant du supermarché, je l'ai trouvé assis dans le lit, dos plaqué au mur, colonne vertébrale droite comme une poutre de soutènement.

– Maintenant, je m'appelle Lazare.

Au bout du compte, il s'en est tiré avec une paralysie faciale et des troubles de l'élocution. Elle s'est dissipée lentement pour laisser place à une sorte de permanente grimace. Un sourire affaissé, un œil entrouvert, l'autre en l'air et les mots qui sortent de la bouche en bousculade.

Il a toujours été casanier. Avant de me connaître, il pouvait demeurer claquemuré chez lui des semaines entières. Il se nourrissait de conserves réchauffées sur une plaque électrique qu'il mangeait à même la boîte. Il passait son temps à écrire, à lire, à traîner, à écouter une partie de la nuit la radio dans la pénombre.

Il cognait si fort les touches du clavier de sa machine à écrire que le bruit traversait les murs. Incommodés par le vacarme, ses voisins attendaient qu'à force de labeur il se soit endormi pour frapper plafonds et parois avec le manche d'un balai. Ils hachaient son sommeil en cadence, trouvant ainsi un exutoire à leur rancœur.

Notre rencontre l'a humanisé. Il est sorti lentement de la gangue du célibat pour prendre le chemin de la conjugalité. Un vocable aussi ignoble que couple. L'un fait penser aux interminables leçons de grammaire, l'autre aux oiseaux encagés qui se frottent le bec pour tuer le temps de leur captivité. Mais j'aime ces mots, je les ai toujours trouvés rassurants, chauds. Ils signifient pour moi le contraire de solitude, comme chaumière celui de logement.

Après avoir déménagé à Montparnasse, il a continué épisodiquement à se cloîtrer. Il disparaissait plusieurs jours, arrachant la prise du téléphone et fermant les volets pour ne pas risquer de m'apercevoir promenant Cocu sous ses fenêtres.

Je n'avais pas le mauvais goût de lui reprocher sa disparition quand il remontait à la surface et surgissait ébouriffé devant ma porte comme un gamin revenant de la piscine. Notre amour s'est chargé de le civiliser.

Cinq ans plus tard, c'est lui qui a suggéré de passer du voisinage à la cohabitation. Nous avons vendu nos appartements pour acheter une maison dans le quartier du Ranelagh. Une adresse cossue du 16ᵉ arrondissement où nous vivions heureux parmi les riches illettrés qui en fait de livres feuilletaient anxieusement chaque année le nouveau code des impôts et ne risquaient pas de nous reconnaître quand nous flânions main dans la main sur l'avenue Mozart en nous murmurant à l'oreille des horreurs sur leurs chiards, auxquels par politesse nous trouvions des faces de fesses.

Il écrivait au sous-sol. À travers les vasistas défilaient chaque jour des milliers de jambes pressées de se déplacer d'un point à un autre ou marchant d'un pas dolent vers un plaisir sans importance. Il les comptait lorsque l'écriture lui tombait des mains.

Le soir, il me racontait les godillots, les escarpins, les chevilles et les mollets, en prenant le ton navré d'un commentateur de funérailles. Je lui susurrais des nouvelles du grenier où j'accouchais de mes romans en serrant les dents ou en riant comme une écervelée d'un pigeon ridicule tombé du ciel à la fin d'un chapitre.

Nous menions une vie à voix basse, sans scène et sans cris. Quand nous avions un reproche à nous faire, nous nous servions de nos livres pour l'exprimer et nous répondre de volume en volume. L'orage éclatait dans l'intimité des pages, il ne mouillait même pas le lecteur qui croyait à une saute d'humeur subite d'un petit couple de personnages secondaires souffrant de cyclothymie.

Une dispute muette qui a duré près de trente ans et nous a laissés indemnes.

Nous aimions de moins en moins les vernissages, les inaugurations, les réceptions de toutes sortes où l'on côtoie les autres. Avec leurs paroles urticantes, ils nous irritaient comme des moustiques. De retour à la maison, nous passions la nuit à nous gratter jusqu'au sang.

Nous n'aurions plus vu personne s'il n'avait pas décidé d'instituer une sortie hebdomadaire afin de rencontrer des contemporains.

– Autrement, on finira par devenir fous.

L'amour entraîne une addiction au tête-à-tête. Quand nous étions invités à dîner, nous nous levions de table avant la fin pour aller papoter dans le huis clos de la salle de bains ou d'une chambre éloignée. Nous parvenaient les cris des invités se pâmant à l'apparition d'un gâteau d'anniversaire auquel nous préférions les petits Lu dont j'emportais toujours une provision dans mon sac pour un dessert inopiné.

Nous avions une vieille télé que nous n'allumions pas. Nous survolions les journaux en nous moquant des malheurs du monde, en nous réjouissant des grèves des transports qui ne touchaient pas les écrivains sédentaires, en ricanant à la lecture des critiques massacrantes que pouvaient essuyer nos confrères.

Nous nous étonnions qu'on ne parle pas davantage de nos livres, de notre bonheur, de nous. Notre isolement était narcissique, comme celui des ascètes. Nous détestions, les mondanités, mais nous rêvions de gloire.

Qu'enfin nos images envahissent les façades, ornent

les vêtements des passants, l'intérieur des corps grâce à des aliments propagandistes chargés de peinturlurer nos silhouettes sur les parois des estomacs des consommateurs.

En réalité, on nous oubliait. J'avais des hauts et des bas, mais les bas s'éternisaient. Ses romans se vendaient moins chaque année. Les critiques se faisaient condescendantes et rares.

À la mort de Claude Lévi-Strauss, une radio lui avait téléphoné.

– Vous l'avez bien connu ?

Mais ils n'étaient entrés en contact qu'à une seule occasion, en octobre 1962, au hasard d'une petite annonce que l'ethnologue avait passée pour vendre sa vieille 2CV. Comme elle faisait des embardées au-dessus de soixante à l'heure, il ne l'avait pas achetée. Ils s'étaient quittés en mauvais termes.

– Vous m'avez fait perdre mon temps. À cause de vous, j'ai reporté mon vol pour Abidjan.

L'interview n'a pas été diffusée. Il a été déçu. Il n'a plus jamais été sollicité par aucun média.

Quant à moi, ma renommée ne cesse de se faner. Une image d'autrefois qu'on convoque de loin en loin pour constater à quel point elle a vieilli. Lors de la parution de mon dernier livre, une journaliste a même eu la muflerie de m'accuser d'avoir un vocabulaire de moins en moins riche au fur et à mesure des publications.

– C'est le signe d'un début d'Alzheimer.

J'ai souri, craignant de compromettre ma promo en quittant le plateau précipitamment.

J'ai la chance d'avoir publié un best-seller en 1991.
Un gros roman historique commandé par Hachette,
dont l'intrigue se déroule dans l'Égypte de Ramsès II.
Il continue à s'écouler bon an mal an et le succès de
la traduction en langue anglaise a incité Hollywood à
prendre une option opulente pour un film qui ne sera
peut-être jamais tourné. Grâce à cet argent providentiel,
notre situation n'est pas précaire.

Les journées de mon homme sont courtes, ses nuits
de plus en plus longues. Il s'enferme dans notre chambre
en fin d'après-midi pour ne plus se lever qu'aux alentours
de neuf heures du matin.

Les volets sont clos, les rideaux tirés, il demeure étendu
dans l'obscurité. Il est devenu une marmotte insomniaque.
Il oublie souvent qu'il s'est assoupi, il est persuadé de
passer des semaines entières sans avoir dormi. De plus
en plus, l'état de veille le fatigue. Il repose immobile.

– Je suis comme une bouteille de bordeaux au fond
d'une cave.

Il ne s'ennuie pas, il ressasse sa vie. Il se la raconte,
il se laisse submerger par sa mémoire. Il a fait son
deuil de l'écriture, il se sait définitivement incapable de
fabriquer assez de phrases pour composer la moindre
nouvelle.

Il a déjà publié ses Mémoires, le passé ne peut plus
lui servir à rien. Il est devenu pour lui un simple plaisir.
Chacun de ses souvenirs a du goût, les événements ont
parfois une belle couleur et il retoque les malheurs, les
catastrophes, les regrets, l'aigreur, la mélancolie.

La réalité dans laquelle vivent les gens est devenue
pour lui un spectacle. Il se prépare pour aller la voir,

se rasant de près, me demandant de faire bouffer avec mes doigts ses derniers cheveux, m'interrogeant sur le choix de ses vêtements pour éviter de commettre une faute de goût.

Alors qu'il a toujours fui le regard de ceux qui parfois le reconnaissaient dans la rue, il aimerait aujourd'hui que les passants le harcèlent, lui demandent pourquoi il ne publie plus de livres, lui jettent au moins un coup d'œil comme à une vieille réclame restée collée sur le mur d'une cuisine d'un immeuble en démolition.

Il croit qu'il ne se ressemble plus, qu'on ne voit plus de lui que les séquelles de l'attaque qui l'a foudroyé. En réalité, la plupart de ses lecteurs d'autrefois sont morts ou comme lui dans un trop sale état pour s'en souvenir si jamais leur reste assez d'énergie pour tenter l'aventure d'une promenade.

Nous allons faire des courses. Il s'intéresse au choix d'une volaille, d'un melon, regarde fasciné le poissonnier vider les bars de notre déjeuner. Si je bouscule quelqu'un avec sa chaise, il profite de l'incident pour essayer d'entamer une conversation. De plus solitaires que lui acceptent un échange, mais ses difficultés d'élocution les lassent vite. Ils s'en vont. Il me parle d'eux pendant des semaines, comme s'ils étaient désormais ses amis.

Au moment de Noël, il me demande de le rouler dans les rayons de jouets des grands magasins. Il regarde les enfants excités. Il les fait rire quand il leur parle avec sa voix détraquée. S'il essaie de leur caresser la joue ou de les embrasser, les mères les lui arrachent avec dans les yeux l'effroi des pauvres à qui on veut ôter le pain de la bouche.

Cette année, il a voulu que j'achète un sapin. Il m'a aidée à le décorer, à le surcharger de boules, d'étoiles, à l'entourer d'une guirlande électrique. Elle éclaire ses longues nuits. Il dit que c'est une bombe à retardement dont le tic-tac est lumière.

– Quand on meurt, on explose.

– Je t'interdis de mourir avant moi.

Un petit rire gargouille au fond de sa gorge.

– Je n'ai jamais obéi aux ordres.

Le sapin a perdu toutes ses aiguilles, mais il tient à conserver son squelette. Les loupiotes s'épuisent de n'être jamais éteintes, elles sautent l'une après l'autre.

J'aime mon homme décrépit. Son déclin m'émeut comme un coucher de soleil. Je le regarde des heures entières dans le crépuscule de la chambre. Il me dit parfois des mots tendres, de ceux que les adultes se murmurent en cachette par peur du ridicule et que d'ordinaire par honte les vieux n'osent plus se dire.

Hier, en revenant des courses, il m'a parlé longtemps de la clarté du jour et des gens aux couleurs vives qui circulaient sur les trottoirs. Un émerveillement d'enfant du placard qu'on sort de temps en temps pour l'empêcher de devenir monochrome à force de manquer d'UV.

– C'était beau.

– On ressortira demain.

– Pas trop souvent, j'ai peur de m'habituer.

Il a plongé dans un profond sommeil. Je ne l'entendais plus respirer, la grimace qui ridiculise son visage s'était estompée. Je l'ai secoué en me disant que c'était vain de vouloir réveiller un mort.

Il a rouvert les yeux, il a tourné la tête vers le sapin. Je l'ai embrassé, j'ai serré sa main, je m'y suis accrochée.

Je ne savais comment le remercier d'avoir fait un effort pour donner un coup de pied au fond de la piscine et remonter chez les vivants.

Parce que je l'aime, j'aime qu'il vive.

Du même auteur

Seule au milieu d'elle
roman
Denoël, 1985

Les Gouttes
théâtre
Denoël, 1985

Cet extrême amour
roman
Denoël, 1986

Sur un tableau noir
roman
Gallimard, 1993

Stricte Intimité
roman
Julliard, 1996
et « Folio », n° 4971

Histoire d'amour
roman
Verticales, 1998
et « Folio », n° 3186

Clémence Picot
roman
Verticales, 1999
et « Folio », n° 3443

Autobiographie
roman
Verticales, 2000
et « Folio », n° 4374

Fragments de la vie des gens
nouvelles
Verticales, 2000
et « Folio », n° 3584

Promenade
roman
Verticales, 2001
et « Folio », n° 3816

Les Jeux de plage
récits
Verticales, 2002

Univers, univers
roman
prix Décembre
Verticales, 2003
et « Folio », n° 4170

L'enfance est un rêve d'enfant
roman
Verticales, 2004
et « Folio », n° 4777

Asiles de fous
roman
prix Femina
Gallimard, 2005
et « Folio », n° 4496

Microfictions
roman
prix France Culture/Télérama
Gallimard, 2007
et « Folio », n° 4719

Lacrimosa
roman
Gallimard, 2008
et « Folio », n° 5148

Ce qu'est l'amour
et autres microfictions
« Folio », n° 4916

Sévère
roman
Seuil, 2010
et « Points », n° P2591

Tibère et Marjorie
roman
Seuil, 2010
et « Points », n° P2785

Claustria
roman
Seuil, 2012
et « Points », n° P2950

La Ballade de Rikers Island
roman
Seuil, 2014
et « Points », n° P4018